조센징, 째포, 탈북민

탈북 북송재일동포의 세 토막 인생살이

조센징, 째포, 탈북민

탈북 북송재일동포의 세 토막 인생살이

초판 1쇄 발행 2021년 6월 30일

지은이 | 김석향

펴낸이 | 윤관백

펴낸곳 | 도서출판 **선인**

등 록 | 제5-77호(1998.11.4)

주 소 | 서울시 마포구 마포대로 4다길 4(마포동 324-1) 곳마루 B/D 1층

전 화 | 02)718-6252/6257

팩 스 | 02)718-6253

이메일 | sunin72@chol.com

정가 10,000원

ISBN 979-11-6068-492-6 93300

조센징, 째포, 탈북민

탈북 북송재일동포의 세 토막 인생살이

Part I

조센징 – 째포 – 탈북민으로
살아 온 사람들

조센징

째포

탈북민

이들은 누구인가? 조센징과 째포는 어떤 관계인가? 또 째포와 탈북민 집단은 어떤 관계로 엮여 있는가? 도대체 조센징과 째포, 탈북민이라는 호칭 사이에는 어떤 관계가 존재하는가? 이 책을 쓰면서 글쓴이가 조센징과 째포, 탈북민이라는 용어를 나란히 배치해 놓은 의도는 무엇일까? 한 걸음 더 나아가 탈북 북송재일동포는 또 누구를 말하는 것인가?

이 책의 도입부는 우선 제목에 등장하는 여러 호칭의 의미가 무엇인지, 그 배경에 얽힌 이야기를 간략하게 소개하는 일부터 시작해야 할 것 같다. 그렇게 하지 않으면 처음에 어떤 의도로 이 책을 쓰려 했는지 독자 여러분 앞에서 글쓴이의 생각을 제대로 설명할 수 없을 것이라는 생각이 들기 때문이다. 이제부터 이 책의 제목에 등장하는 각각의 호칭이 어떤 의미를 지니고 있는지 간략하게 소개해 보려 한다.

1. 조센징

조센징이라는 단어는 원래 일본어로 조선인을 의미한다. 구글 검색을 해보니 조센징이란 단어는 일본어에서 朝鮮人이라는 글자를 읽는 독음으로(ちょうせんじん) 원래부터 인종 차별적인 의미를 지녔던 단어는 아니었던 것으로 나온다.[1] 그렇지만 일제 강점기를 거치는 동안 "식민지 출신이라는 이유로"조선 사람을 멸시하는 호칭으로 이 용어를 사용하기 시작했다는 것이 정설로 알려져 있다. 이런 과정을 거쳐 생겨난 조센징이라는 단어의 차별적인 의미는 일제 강점기가 끝나고 난 뒤에도 꽤 오랫동안 사라지지 않은 채 남아 있었다. 제2차 세계대전에서 일본이 패망한 뒤 이런저런 사유로 일본에 남아 삶을 영위하려고 했던 재일조선인[2] 집단의 일상생활에는 조센징이라는 호칭이 유난히 더 가혹하고 잔인하며 혹독한 짐을 안겨 주었다.

---

1 https://ko.wikipedia.org/wiki/조센징
2 이 책에서 재일조선인이라는 용어는 자이니치(在日)라는 호칭으로 자신의 정체성을 규정하고 싶어 하는 재일동포 집단을 폭넓게 의미하는 단어로 사용할 예정이다. 사실 최근에 들어와 재일조선인과 재일한국인, 재일동포 등 몇 개의 단어가 비슷하거나 동일한 의미를 지닌 것으로 취급하는 경우도 많다. 그렇지만 이 책에서 주인공으로 나오게 될 탈북 북송재일동포의 인생사를 이야기할 때 이들의 관점에서 가장 적합한 호칭은 재일조선인이라고 생각하여 이 용어를 사용할 것을 결정하였다.

개인과 개인이 만났을 때 일본 사람이 조선 사람을 차별하는 경우도 많았지만 무엇보다도 재일조선인의 삶을 근본적으로 위협하는 요인은 바로 일본 정부가 1951년 샌프란시스코 강화조약 체결 이후 이들의 일상생활을 근본적으로 뒤흔드는 제도를 속속 도입했다는 점 때문이었다. 샌프란시스코 강화조약은 1951년 9월에 제2차 세계대전 패전국 일본과 연합국 48개국 사이에 평화조약을 체결했던 것을 의미한다. 이 조약으로 일본 땅에서는 미국을 필두로 하는 연합군 사령부의 군정 통치기간이 끝나게 된다. 결국 제2차 세계대전 패전국인 일본이 점령군이던 연합군 사령부의 통치를 벗어나서 주권을 회복하는 계기가 된 일이 바로 샌프란시스코 강화조약이었다는 뜻이다.

　일본 정부는 바로 이 조약의 일부 조항을 확대하여 해석하면서 1951년 9월 시점을 기준으로 자국 내 영토에 거주하는 한반도와 타이완 출신 주민에게 모두 일본 국적을 박탈한다는 결정을 내렸다. 사실상 일제강점기 동안 일본 정부는 자국민이 기피하는 분야에 노동력을 동원할 필요성이 있을 때 한반도와 타이완 지역에서 수많은 젊은이를 차출하여 징용공으로 데려와 자국 내에 거주하게 하며 "힘들고 더럽고 어려운" 일을 맡겼다. 이들은 모두 식민지 출신이라는 이유로 스스로 원하거나 요청하지 않았지만 제국주의 노선을 추구하던 일본 정부가 부여해 준 국적을 받아들일 수밖에 없었다. 그럼에도 불구하고 일본 정부는 샌프란시스코 강화조약이 발효하는 1952년 4월에 일본국 법무성 민사국장의 통지문을 발표하여[3] 해당 시간을 기준으로 자국 내 거주하는 한반도와 타이완 출신 주민은 일제히 일본 국적을 자동 상실하게 된다는 점을 일방적으로 통보했다. 바로 이 통지문 이후 일본 정부는 재일조선인을 자국의 국민으로 인정할 수 없다는 이유를 들어 그때까지 명맥만 유지하던 생활보호 조치의 남은 혜택도 빠르게 박탈해 버렸다.

이 과정에서 식민지 시절 일본 정부의 필요에 따라 "조선반도" 전역에서 차출을 당해 왔던 재일조선인 노동자의 의사는 단한 차례도 확인하려고 시도했던 일도 없었다. 자신의 국적 문제와 관련하여 아무런 정보도 없었고 어떤 대비도 할 수 없었던 대다수 재일조선인은 자연히 경제적으로 급격하게 어려워진 상황에 빠져들게 되었다. 재일조선인 가정의 자녀는 일본에서 공식 교육을 받는 것이 훨씬 어려워졌고 번듯한 직장에 취업할 수 있는 경로는 사실상 막혀버린 상황에서 하루하루 생존을 걱정하는 지경에서 연명해야 했다. 병이 들었을 때 병원에 가서 치료를

---

3 2020년 2월 일본 치바현에서 만난 면담 대상자는 "겨우 일개부처 국장 수준에서 발표한 통지문 한 장으로 그 많은 사람이 자신의 국적과 관련하여 무슨 일이 벌어지는지 미처 알지도 못한 채 하루아침에 무국적자 신세로 만들어 버린다는 것이 말이 되는 일이냐" 하며 새삼 분노를 쏟아냈다. 그분은 일생동안 자신은 단 한 번도 일본 국적을 갖고 싶어 했던 일이 없다고 강조하였다. 단지 1952년 당시 일본 정부는 마땅히 재일조선인에게 국적을 선택할 기회를 주었어야 한다는 점을 역설하였을 따름이다.

받는다는 것은 꿈도 꿀 수 없는 일이었고 일상생활에서 일본인의 차별은 당연히 감수해야 하는 상황이 이어졌다. 결국 일본에서 재일조선인으로 살아간다는 것은 곧 자신의 소질을 개발하고 희망을 실현하는 기회는 온전히 포기할 수밖에 없다는 뜻이 되고 말았다.

그러던 어느 날, 재일조선인에게 "한 줄기 빛 같은" 소식이 들려왔다. 비록 남북의 분단으로 반쪽에 불과한 상태라서 썩 만족스럽지는 않지만 "떠나 온 조국 땅" 북쪽으로 돌아가는 길이 열렸다는 것이었다. 이른바 조총련이라고 부르는 재일본조선인총연합[4] 조직을 통해서 북한으로 이주하면 의식주 걱정을 할 필요가 없는 것은 물론이고 자녀들은 모두 무료로 학교에 보내 공부하게 하고 병은 무상으로 치료해 준다는 말이 재일조선인 사회에 속속 퍼져나갔다.

---

4 1945년 제2차 세계대전이 끝났을 때 일본에 거주하던 재일조선인 사회에는 각각 남과 북을 지지하는 단체가 출범하였다. 먼저 1945년에 결성한 재일본조선인연맹은 조련이라는 축약어로 북한 노선을 따르는 반면 1946년에 시작했던 재일본조선거류민단은 민단이라는 약칭 아래 한국을 지지했다. 그 이후 재일본조선인연맹은 1949년 일본 정부의 조처로 해산을 당한 뒤 1951년 재일조선민주통일전선으로 다시 출발하였고 1955년 5월에는 조총련이라는 약칭으로 알려진 재일조선인총연합회로 변모하였다. 반면 재일본조선거류민단은 1948년 대한민국 정부 수립 이후 재일본대한민국거류민단으로 이름을 바꾸었다가 1994년에 재일본대한민국민단으로 그 명칭을 변경하는 동안 내내 민단이라는 약칭을 사용하였다. 진희관, 『재일총련의 신용조합 해체와 향후 과제』, 통일경제, 2002, 50-61쪽.

재일조선인을 향한 조총련의 선전 활동은 집요하고 다양했다. 특히 1959년 12월 이후 25년에 걸쳐 10만 여 명에 이르는 재일조선인을 북한으로 보내는 북송사업을 시작하기 직전이던 1957년부터 북한당국은 조선학교에 교육원조금을 보냈고 조총련은 이 내용을 대대적으로 선전했다. 또한 일본에서 조선인이 별로 거주하지 않는 지역까지 직접 조총련 조직원이 찾아다니면서 북한당국이 발행하는 화보집을 보여주며 북송선을 타라고 설득하는 일이 많았다. 월간으로 발행하는 『조선』화보집에 나오는 장면을 한 장씩 보여주던 조총련 일꾼이 해마다 농작물 수확량이 얼마나 많은지 북한에 가면 절대 굶주릴 일이 없다고 역설하는 한편 화려한 조명을 드리운 채 강변에 늘어선 아파트 사진을 가리키면서 앞으로는 이런 집에서 살게 될 것이라고 유혹하던 모습을 떠올리는 사람이 많았다.

당시 재일조선인 사회 내부에서는 북한을 지지하던 조총련과 한국을 지지하는 민단이 서로 의견 충돌을 일으키는 경우가 많았다. 이런 상황에서도 조총련은 열심히 북송사업을 홍보하고 있었지만 여전히 반신반의하는 사람도 많았고 민단을 중심으로 적극적인 반대 활동을 전개하는 세력도 나타났다. 그러나 당시 조총련과 비교해 볼 때 세력이 미미했던 민단의 활동 결과는 재일조선인 사회 내부에서 별로 크게 주목을 끌지 못했던 것 같다.

특히 그 무렵의 일본 내 지식인 집단과 주요 언론매체는 전반적으로 사회주의와 공산주의 노선을 찬양하는 흐름에 쏠려 있는 상태라 한국의 노선을 따르는 민단을 비난하는 한편 조총련의 활동을 은근히 격려하고 노골적으로 찬양하는 경우가 많았다. 이런 분위기는 당연히 조총련의 활동을 뒷받침해 주는 효과를 낳았다. 한 걸음 더 나아가 일본 정부도 역시 재일조선인의 북송사업을 다각도로 장려하면서 실질적인 지원을 도모하는 움직임을 보여주었다.

일본 내 전반적인 분위기가 이렇게 북송사업에 우호적인 상황이었던 만큼 자연히 북한으로 가려고 하는 재일조선인의 귀를 솔깃하게 잡아당기는 소문도 끊이지 않고 흘러나왔다. 일본 땅 어디에서 살고 있더라도 북송선이 출항하는 니가타 항구까지 가는 사람들 기차표 값을 포함하여 이삿짐 운송 비용까지 모두 일본 정부가 부담한다는 정책도 그와 같은 유인요인의 하나였다. 이런 소식은 그 당시 "하루 벌어 하루 먹는 것도 힘들어" 허덕이는 사람이 많았던 재일조선인 부락민의 관점에서 볼 때[5]

---

5 일본에서 부락민이라는 단어는 그 자체로 경제적인 곤란함 속에서 어렵게 살고 사회적으로 차별을 받는 집단을 의미하는 용어로 쓰인다. 그런 만큼 제2차 세계대전이 끝나고 난 뒤 일본인의 전반적인 경제 사정도 넉넉하지 않던 시절에 재일조선인 부락민의 삶이 얼마나 어렵고 힘들었을 것인지 충분히 짐작할 수 있는 일이라 하겠다. 조지현, 『이카이노: 일본 속 작은 제주』, 도서출판 각, 2019.

그야말로 강력한 유인책으로 다가왔다. 또 북송선에 타기 전에는 국제적십자사 요원이 이들을 한 사람씩 직접 만나보고 정말 본인의 의사로 북한에 가려고 하는지 철저하게 확인한다는 소문도 있었다. 이런 소문은 미처 마음을 정하지 못한 채 망설이는 사람에게 일단 니가타 항구까지 가서 자신의 눈으로 직접 상황을 확인하고 난 다음에 "정말 아니다 싶으면 그 순간에 발길을 돌려도 되지 않을까 하는 순진한 생각을" 심어 주기도 했다. 어떤 사람은 북한에 간다고 해도 몇 년 정도 살고 난 뒤에 일본을 왕래할 수 있다는 소문도 들었다고 한다.[6]

모든 것이 혼란스럽던 상황이었지만 마침내 1959년 12월 14일, 일본 내 다양한 언론매체는 니가타 항구에서 제1항차 북송선이 북한의 청진을 향해 출항하는 행사를 거창하게 보도했다. 당시 한국 내에서는 이런 계획에 반대하는 시위가 곳곳에서 일어났고 서울에서 50만 명이 운집하는 사태가 벌어졌다.[7]

---

6 1959년 12월 이후 1984년에 이르는 25년 동안 북한으로 이주해 갔던 사람들이 100,000명 가까이 되지만 이들이 모두 재일조선인이었던 것은 아니다. 당연히 재일조선인이 가장 많았지만 재일조선인 배우자와 함께 북송선에 올라 북한으로 이주했던 일본인 처와 일본인 남편도 있었다. 드물지만 일본인 고아로 아이가 없는 재일조선인 가정에 입양아로 들어가 양부모를 따라 북한으로 이주했던 사례도 나타난다. 이런저런 사유로 북송선에 올라 이주해 갔던 일본인은 일단 북한으로 같이 떠나면서도 몇 년 살아보고 그 곳의 형편이 정말 힘들고 어려우면 다시 돌아오고 싶을 때 일본으로 돌아올 수 있는 것으로 알았다고 한다.

7 테사 모리스-스즈키, 『북한행 엑서더스: 그들은 왜 '북송선'을 타야만 했는가?』, 책과함께, 2008, 4–5쪽.

조센징, 쩨포, 탈북민
탈북 북송재일동포의 세 토막 인생살이

민단에서도 수많은 사람을 동원하여 니가타 항구로 이어지는 철도선에 드러누워 재일조선인의 북송사업 진행을 막아보려고 애를 썼지만 이런 노력은 일본 주류 언론과 조총련의 비난과 조롱을 샀을 뿐이며 별다른 효과를 발휘하지 못했다. 반면 조총련에서는 니가타 지부를 중심으로 북송선에 타는 "동포들을 바래우는[8] 행사를 준비하는가 하면" 수많은 사람이 직접 꽃다발을 준비해서 항구까지 나와 환송하는 일도 주관하였다.

제1항차 북송선이 출항하던 1959년 당시 한반도는 일본의 통치에서 벗어나 광복을 맞이한 지 별로 오래 지나지도 않았고 무엇보다 혹독한 전쟁을 치르고 난 뒤 얼마 되지 않은 상태라서 전반적인 생활 여건이 확실히 일본보다 뒤떨어져 있었다. 가장 심각한 문제는 당시 한반도는 남과 북으로 분단이 된 상태라서 막상 북송선을 탄 재일조선인 중에서는 "조국으로 돌아간다고 하더라도" 자신이 떠나 온 경상도나 제주도, 전라도 지역의 고향 땅으로 갈 수 없는 사람도 많았다.

---

8 이 책에서는 북한에 오래 살다가 떠나온 면담 대상자들 이야기를 기반으로 직접 인용문을 제시할 때 이들의 언어습관을 살려 북한주민이 일반적으로 사용하는 특유의 표현을 그대로 제시해 놓은 경우가 많다. "바래우다, 속히우다, 자래우다" 같이 한국에서 일반적으로 사용하지 않는 수동태 표현이나 "억이 막힌다" 같은 문구를 책 속에서 그대로 사용하는 이유는 바로 면담 대상자의 발언에 북한주민이 사용하던 언어습관을 그대로 투영하는 상태로 나타난다는 사실을 드러내고 싶었기 때문이다.

이런 상황에서 10만 명 가까운 재일조선인이 북송선을 타고 북한으로 가겠다고 결정한 이유는 무엇인가? 이들의 답변을 정리해 보면 그래도 차별과 멸시로 점철이 된 일본에서 숨도 제대로 쉬지 못한 채 사는 것보다 못하랴 싶어 북송선에 탑승할 것을 결정했다고 말하는 사람이 드물지 않았다.[9] 무엇보다도 "자식을 키우면서 아플 때 병원에 데려갈 걱정을 하지 않아도 되고 먹이고 입히고 마음껏 공부까지 시킬 수 있다는" 희망은 경제적으로 힘든 생활에 지친 재일조선인의 이성을 마비시켜 냉정한 판단을 할 수 없게 만들어 놓았던 것이 아닐까 싶다.

당시 한반도 상황을 잘 모르는 재일조선인 중에서는 비록 반쪽으로 분단이 되어 있지만 그래도 조국 땅에 가서 몇 년 살면 "언젠가 꿈에서도 그리워하던" 남녘 땅 고향에 갈 수 있을 것 같아 북송선에 올랐다는 사람도 많았다. 그런가 하면 그동안 일본에서 배우고 익힌 선진기술로 6·25 전쟁 이후 아직도 전후 복구건설을 마무리하지 못한 조국의 발전에 기여하고 싶다는 마음으로 하루빨리 북송선을 타야 한다고 서두르는 사람도 나타났다.[10] 그 뒤로 1984년에 제187항차 북송선이 마지막으로

9 박종철, 『귀국자를 통해 본 북한사회』, JPI 정책포럼, 2012(16), 2012, 1–23쪽.
10 재일조선인 북송사업 초창기인 1959~1961년 당시에는 한반도의 남과 북이 모두 6·25 전쟁 이후 복구건설을 마무리하지 못한 시점이었다. 이런 상황에서 조총련 조직은 재일조선인을 대상으로 "북조선에 가면

조센징, 째포, 탈북민
탈북 북송재일동포의 세 토막 인생살이

일본의 니가타 항구를 떠날 때까지 10만 명에 가까운 재일조선인이 다양한 사연을 싣고 이른바 귀국선으로 부르던 북송선에 올라 북한으로 이주해 갔다.

2. 째포

째포라는 용어는 북한에서 재일동포를 줄여서 부르는 호칭이다. 탈북민과 면담하는 과정에서 이 호칭은 북한 내 어느 지역을 가더라도 쉽게 들을 수 있다는 사실을 발견했다. 처음부터 이 호칭에 비하하는 의미가 담겨 있었는지 확실하게 설명해 주는 사람은 없었다. 그렇지만 탈북 북송재일동포를 만나 면담할 때 예전 북한에 사는 동안 남들이 자신을 째포로 부르는 순간마다 "뼈에 저리는 서러움을 느꼈다" 하고 대답하는 사람이 많았다.

북한에 사는 동안 그런 서러움을 표현하거나 자신을 째포로 부르지 말라고 주변 사람에게 요청해 본 일이 있느냐 하고 질문하면 그런 일은 아예 생각도 할 수 없었다는 답변이 돌아왔다. 북한에 사는 동안 이들은 그런 불평을 토로한다고 해도 들어줄

먹고 사는 걱정없이 마음껏 공부하면서 일본에서 배우고 익힌 선진 기술로 조국의 발전에 힘을 보탤 수 있다" 하는 언술로 선전활동을 활발하게 전개했다고 한다.

사람도 없었겠지만 애초에 전반적인 사회 분위기 자체가 자신이 그런 의견을 표현할 수 있는 상황이 아니었다고 답변했다.

문제는 같은 탈북민이라고 해도 이른바 째포 출신이 아닌 사람은 이 호칭에 아무런 차별적 의미가 담겨 있지 않다고 주장하는 사례가 많다는 것이다. 탈북민을 향한 차별적 언행에 유독 민감하게 반응하는 사람이라고 해도 스스로 째포 출신이 아닌 경우에는 이 호칭은 그냥 재일동포의 줄임말이며 차별하는 의미는 전혀 없다고 강조하는 반응을 보였다.

이렇게 주장하는 사람들은 북한에 살면서 째포는 오히려 부러움의 대상이었는데 이 호칭에 무슨 차별의 의미가 있느냐고 항변하기도 했다. 이들은 원래 북한에서 태어나 살던 자신은 구경하기도 힘들었던 학용품이나 옷, 과자, 사탕을 쉽게 즐기는 째포네 집 살림살이를 부러워했었다고 당시 상황을 들려주었다. 그런 만큼 째포라는 용어가 차별의 의미를 담고 있다는 것은 말이 되지 않는 일이라고 목소리를 높였다. 심지어 어린 시절 "째포였던 친구네 집 근처에 갈 때마다 그 근처에서 특별한 냄새가 나서" 주눅이 들었던 기억이 떠오른다고 설명하는 사람도 많았다.[11] 이들은 어렸을 때 자신이 직접 겪은 일을 떠올리며

----

11 이런 이야기를 들려준 사람은 "그건 아마도 일본에서 옷을 보낼 때 같이 넣어 놓은 나프탈렌 냄새였던 것 같다" 하고 말해 주었다. 탈북 이후 한국에 살면서 "지금 돌아보면 그게 뭐 좋았을까 싶지만" 그 시절에는

조센징, 째포, 탈북민
탈북 북송재일동포의 세 토막 인생살이

북한에 살면서 째포라는 용어에 차별의 의도를 담아서 사용했던 경험이 없을 뿐 아니라 기억 속에 그들은 "먹는 것도 다르고 옷도 잘 입어서 주변 사람의 부러움을 한 몸에 받는" 선망의 대상이었다고 역설하기도 했다.

이렇게 명백한 인식의 격차가 있는 것은 사실이지만 일본에서 조센징으로 차별을 받던 재일조선인 집단이 희망에 부풀어 찾아갔던 "조국 땅" 북한에서 "그 뿌리 깊은 차별에 치를 떨었다"하는 점은 절대로 부인할 수 없는 일이다. 재일조선인의 관점에서 가장 억울하고 또 힘들었던 사실은 일상생활에서 간첩 취급을 당하는 일이 많다는 점이었다. "그렇지 않아도 잘 살 수 있다고 속히워서" 북송선을 타고 일본을 떠나 북한으로 이주해 온 것으로도 "억이 막히는 일인데" 막상 오라고 해서 애써 찾아왔더니 청진항에 도착하는 순간부터 주변에서 늘 자신을 잠재적인 간첩으로 취급하는 현실을 피할 수 없었다는 점이 정말 억울했다고 토로했다. 북한당국은 물론이고 주민들 모두 공식적으로 이들을 적극적으로 환영하는 태도를 보여주면서도 비공식적으로는 째포라는 호칭을 사용하면서 재일조선인을 끊임없이 간첩으로 의심하는 일을 멈추지 않았다는 것이었다.

___

나프탈렌 냄새가 나면 곧 째포였던 친구네 집에 가야 먹어 볼 수 있는 맛있는 과자나 음식이 떠올라 부러웠다고 말했다.

혹시라도 가족이나 가까운 친척 중에 오무라 수용소[12] 출신이 있으면 그 사람은 영낙없는 간첩으로 취급을 당했다. 지역 보위부에서는 늘 그런 사람을 주목하며 자주 사무실로 불러서 동향을 파악하는 일을 멈추지 않았다. 간혹 이웃이나 직장 동료가 뜬금없이 새벽 일찍이나 한밤중에 찾아와 엉뚱한 질문을 늘어 놓으면서 집안 곳곳을 살피는 일도 자주 있었다고 했다.

물론 오무라 수용소 출신이 아니라고 해도 지역이나 직장, 학교에서 작은 사건이라도 발생하면 누구보다 먼저 재일조선인 출신의 째포 집단이 "일본이나 남조선 간첩과 연계를 가지고 배신한 것이 아닌지 그 뒷배를 철저하게 조사해야"한다고 주장하면서 사람들이 수군거리는가 하면 어딘지 이상하다는 눈초리로 자신을 쳐다보는 경험을 했다는 의견은 아주 흔하게 나왔다. 별다른 일이 일어나지 않더라도 북한에 이주해 온 재일조선인 출신은 모두 째포라는 호칭 아래 "밖에서 굴러 온 돌" 취급을 당했고 이들이 자본주의 생활방식을 철저하게 버리고 북한 사회에 완전히 소속이 되었다는 심정으로 진심을 다해 충성하

---

12 제2차 세계대전에서 패전한 일본 정부는 이른바 불법 입국자 임시 수용 시설로 나가사키현 하리오에 수용소를 설치했다. 1950년 12월에는 이 수용소를 같은 나가사키현에 있는 오무라로 이전하였다. 그 뒤 1993년 까지 일본 정부는 입국 과정에 문제가 있는 사람은 모두 오무라 수용소에 가두어 놓고 관리하였다. 1993년 이후에 오무라 수용소를 오무라 입국관리센터로 변경한 상태로 운영해 오고 있다.

려 하는지 다양한 방식으로 검증하려는 움직임이 끊임없이 이어졌다는 것이었다.

북한에서 재일조선인 출신의 째포로 살아가야 했던 사람에게 또 하나 견디기 어려웠던 고초는 경제적인 어려움이었다. 일본에 살 때 조총련 조직원을 통해 모든 것이 풍족하고 넉넉하다고 전해 들었던 소식과 달리 북송선이 북한의 청진항에 도착한 순간부터 이들은 "속히웠다" 하는 생각을 떨쳐 버릴 수 없었다고 했다. 그동안 "일본 땅에서 헐벗고 굶주리며 살다가" 북송선을 타고 온 동포들을 환영한다며 청진항까지 나온 환영인파의 옷차림이 너무나 허술해서 놀랐고 길거리에 볼품없는 건물과 우마차 행렬이 많아 내심 충격을 받았던 기억을 떠올렸다. 이후 각자 배치를 받은 거주지역으로 옮겨 간 뒤 하루하루 겪어야 했던 상황은 한층 더 나빠서 "한순간도 의식주 걱정에서 벗어난" 일이 없었다고 말하는 사람이 많았다.

도착하는 날부터 일본에서 가져온 세이코 시계를 하나씩 팔아 질병이나 사고로 죽음의 문턱을 넘나들던 가족의 목숨을 겨우 연명하게 했다고 호소하는가 하면 북한에 갈 때 가져간 물품을 10년 동안 식량과 바꿔 먹으며 살았더니 나중에 집에 남아 있는 물건이 하나도 없었다고 하거나 "만 엔짜리 한 장을 깨면" 몇 달 동안 먹을 것을 조달할 수 있었다고 하는 경험담은 흔하게 등장하는 내용이었다. 재일조선인 북송사업이 한창 진행 중이던 당시 일본과 북한의 경제력 격차가 워낙 크기도 했지만 조총련 조직원의 선전 내용이 너무나 화려했기 때문에 그만큼 이들의 실망도 크지 않았을까 싶다.

물론 일본에 남은 가족과 친지가 보내주는 물건이나 돈을 받아서 쓰느라 원래 북한에 살던 사람보다 먹고사는 형편이 넉넉해 주변의 부러움을 사는 사람이 없었던 것은 아니다. 심지어 북한당국도 이렇게 경제적 사정이 넉넉했던 째포는 달리 구분해서 대접을 했다. 우선 거주지역을 정할 때에도 평양이나 청진, 원산 같은 대도시로 배정했고 간혹 조선노동당 당원이 될 기회도 부여하는가 하면 그다지 실권이 없는 자리에 한정해서 행정조직의 간부로 발탁하는 경우도 드물게 있었다.

반면 일본에 가족이나 친지를 한 명도 남겨 두지 않고 가족 전체가 모두 북송사업 초창기에 북한으로 이주한 사람은 돈이나 물건을 지원받을 길이 막막한 상태로 오히려 평범한 북한주민보다 더 어렵게 사는 경우도 많았다. 당연히 이들을 향해 쏟아지는 북한당국과 주민의 시선은 더욱 냉정하게 차별의 의미를 드러냈다. 이들을 부를 때 살림이 넉넉한 째포 집단과 구분해서 "거지 같이" 사는 째포라는 의미로 "거지포" 같은 명칭을 사용하여 따로 구분하기도 했다.

북한으로 이주한 째포의 삶이 더욱 어렵고 피폐해진 것은 2002년 이후 악화일로를 걷던 북일관계로 일본에서 오는 뱃길이 끊어지고 난 이후의 일이었다. 돌이켜 보면 1990년 이후에는 예전처럼 북한과 일본 사이를 이어주는 배가 자주 정기적으로 왕래했던 것은 아니었다. 그래도 그나마 뱃길로 이어져 있던 시절에는 일본에서 사람이 올 때마다 돈과 물건을 전달하는 흐름이 끊어지지 않아 소위 째포 집안은 나름대로 "숨을 쉴 구멍을" 찾을 수 있었다고 했다.

그런데 2002년 9월, 평양에서 열린 김정일-고이즈미 회담에서 김정일이 뜻밖에도 북한당국이 일본인 납치를 자행했다는 사실을 공개적으로 인정하고 사과하는 사태가 벌어졌다. 이 일을 계기로 일본 내 북한 관련 여론은 나날이 나빠졌다. 일본 정부는 당시 니가타 항구와 원산 사이를 왕래하던 북한 선적의 만경봉호 검색을 한층 강화했다. 북한당국의 반발도 더욱 심해져 갔다. 결국 북한당국도 2003년 5월 이후 사스 사태를 이유로 들어 1970년 이후 오랜 세월이 지나는 동안 니가타-원산 노선을 이어주던 만경봉호 운항을 완전히 중단하고 말았다.

만경봉호 운항이 끊어진 사건은 누구보다 북한에서 째포로 살던 사람들 생활에 치명적인 악영향을 안겨 주는 계기로 작용했다. 뱃길이 끊어진 이후는 일본에서 북한으로 물건과 돈을 보내려는 사람은 누구나 그 이전보다 훨씬 큰 비용을 지불하고 더 오랫동안 시간을 소모하면서도 돈이나 물건이 제대로 전달이 되는지 확신할 수 없어서 늘 불안하게 마음을 졸이며 살

앉다. 상황이 나날이 나빠지는 가운데 만경봉호 대신 북한으로 돈이나 물건을 보내는 방법을 원활하게 찾을 수 없다는 점이 더욱 큰 문제점이었다.

일본에서 북한으로 돈이나 물건을 보내야 하는 사람들은 점점 나이가 들어가고 은퇴하는 비율이 늘어나는 시점에서 만경봉호 뱃길까지 끊어지고 나니 상황은 급격하게 나빠져 갔다. 자연히 북한으로 들어가는 돈이나 물건의 분량은 빠르게 줄어들어 갔다. 1990년대 중반 이후 북한사회 전역에 걸쳐서 극심한 생활고를 초래한 고난의 행군 때문에 살림살이가 어려워지던 시점에 만경봉호 운항 중단 사태가 벌어지자 북한에서 째포로 살아가던 이들은 예전에 생각하지도 못했던 탈북의 길을 절실하게 찾아 나섰다.

일본에 살다가 북송선을 타고 북한으로 이주해 갔던 1세대가 직접 탈북하는 일은 그렇게 많지 않았던 것으로 나타난다. 그들이 일본을 떠난 뒤 이미 세월이 많이 흘렀기 때문에 1세대 당사자는 모두 나이가 많아졌고 세상을 떠난 경우도 드물지 않았다. 그러나 어린 시절 부모를 따라서 북한으로 이주해 갔던 사람을 포함하여 청소년 시절에 가족을 동반하지 않은 채 단독으로 북송선을 탔던 1.5세대와 아예 북한에서 출생한 2세대, 3세대 집단의 구성원은 북한에서 이른바 "고난의 행군" 기간이

조센징, 째포, 탈북민
탈북 북송재일동포의 세 토막 인생살이

끝나고 난 뒤[13] 아주 심각했던 고비는 어느 정도 넘어갔다고 할 수 있는 2000년 이후부터 적극적으로 탈북 행렬에 동참하기 시작했던 것으로 나타난다.

3. 탈북민

탈북민이라는 용어는 북한을 탈출한 사람을 말한다. 구체적으로 이 책에서 탈북민이라는 용어는 한국을 비롯한 최종 정착지에 입국한 사람은 물론이고 북한을 탈출한 이후 중국이나 제3국에 머무르는 경우도 포괄하는 호칭으로 사용할 예정이다. 이들은 왜 합법적이고 안전한 방법을 통해 북한을 떠나려고 하지 않는 것일까? 굳이 탈출이라는 위험한 경로를 선택해서 "나름대로 정을 붙이고 오랜 세월을 살아왔던" 북한을 벗어나[14] 탈출하려 하는 이유는 무엇일까?

---

13 북한당국은 1995년 1월 1일 신년사를 통해 식량사정의 엄혹함을 설명하면서 이른바 "고난의 행군" 기간에 들어섰다고 선포한다. 그 뒤 1996년–1999년 동안 북한 전역에서 식량난 위기가 최악의 수준으로 떨어졌던 것으로 보인다. 2000년에 들어서고 난 이후에 식량난 위기가 완전히 해소되었다고 할 수는 없지만 그나마 "그 이전에 죽도 제대로 먹지 못하던 집에서도 점차 하루 두 끼 강냉이 밥은 굶지 않고 먹는 정도로" 형편이 조금 나아졌다고 말하는 심층면담 대상자가 꽤 많았다.

14 심층면담 대상자 경험담을 들으면 이들이 북한에 사는 동안 내내 불행하지는 않았다는 사실이 나타난다. 주로 자녀가 태어나는 순간이나 장사로 큰 돈을 벌었을 때 고생 속에서도 희망이 솟아 행복했다고 이들은 말했다.

기본적으로 이들이 탈북을 하는 원인을 되짚어 보면 도대체 왜 "비법월경" 경로를 선택하는지 그 이유를 파악할 수 있다. 북한당국이 그 주민에게 합법적인 경로로 해외이주의 길을 선택할 자유를 허용하지 않기 때문이다. 평범한 주민의 경우에 해외 이주는 당연히 꿈도 꿀 수 없는 일이지만 한 걸음 더 나아가 여행이나 유학, 장사 등 북한을 떠나는 행위는 모두 당국의 허락을 받아야 하는 범주로 정해 놓고 그 절차를 엄격하게 준수하지 않으면 무조건 불법이라는 의미의 비법행위로 취급하고 있다. 이런 형편이니 북한을 떠나고 싶은 사람은 대부분 탈출 경로를 선택할 수밖에 없는 상황에 빠져버리고 만다. 그런 맥락을 감안하면 북한당국이 주민들 생활에 과도한 간섭을 하지 말고 이동의 자유를 폭넓게 인정하면 탈북을 비법행위로 비난할 근거 자체를 없앨 수 있는 것이 지금의 현실이라고 하겠다.

북한당국은 그 땅을 떠나는 탈북민을 "비법적으로 국경을 넘어 탈출한 범죄자" 집단이라고 비난한다. 탈북민이 대부분 중국을 거쳐 최종 정착지로 들어가게 되는데 중국도 이들을 "비법월경" 혐의로 중대범죄자 취급한다는 점에서 북한과 다를 바 없다. 특히 중국 정부는 2021년 현재의 시점에서도 여전히 탈북민을 적발해 내는 일을 중단하지 않고 그대로 고집하는 중이다. 이렇게 적발한 탈북민에게 중대범죄자라는 명분을 씌워 북한으로 송환하는 일도 멈추지 않는다. 국제사회가 이런 행위 전체가 인도주의 정신에 어긋난다고 강력하게 비난하는 일을 지속하고 있지만 중국 정부는 지금도 이런 의견을 완전히 묵살한 채 과거의 관행을 그대로 답습하는 중이다.

문제가 이 정도 단계에서 그치지 않는다는 것이 사안의 심각함을 더해 준다. 사실 북한을 탈출한 뒤 곧바로 한국을 비롯한 최종 정착지로 바로 입국하는 사람도 있지만 중국에서 10년 이상 사는 사람도 많다. 이들은 비록 무사히 북한을 탈출하는 일에 성공했고 중국인과 혼인관계를 유지하며 자녀를 출산한 뒤 오래 살았다고 해도 중국에 머무는 동안에는 늘 공안에 자신의 신분이 적발을 당할지도 모른다는 불안감에 떨면서 지내야 한다. 심지어 중국을 무사히 벗어나서 동남아시아 지역에 들어섰다고 하더라도 간혹 현지 경찰이 탈북민을 체포하여 중국으로 보내고 중국 정부가 결국 이들을 북한으로 송환하는 사례가 오늘날에도 계속 일어나고 있다.

탈북민이 북한을 탈출하는 경로는 상황에 따라 다양하게 나타나지만 2010년 이후에는 대다수 탈북민이 탈출 경로로 북한과 중국 경계선을 따라 흐르는 두만강을 넘어서[15] 중국으로 들어선 뒤 라오스나 캄보디아, 베트남, 태국 등 동남아시아 지역을 거쳐 한국으로 최종 입국하는 길을 선택하는 경우가 많은 것

---

15 이런 맥락에서 북중국경 지역을 구분하는 두만강을 도망강으로 부르는 탈북민도 드물지 않다.

으로 나타난다. 전체적인 상황이 이런 현실에서 북한당국과 중국 정부가 탈북민을 중대 범죄자로 취급하면서 적발해 낸 뒤 이들이 애써 떠났던 북한으로 돌려보낸다는 사실 자체가 탈북민의 삶을 더욱 불안하게 뒤흔드는 요소라 하겠다.

대다수 탈북민의 관점에서 볼 때 일단 북한을 떠난 다음 신변불안을 느끼지 않으면서 일상을 편안하게 영위하려 한다면 한국으로 가는 것이 가장 합리적인 대안이라고 하겠다. 물론 북송재일동포 출신으로 탈북 대열에 합류한 사람 중에서 한국 대신 일본에 정착해서 안전한 생활을 하는 경우도 드물지 않다. 그런데 이들이 한국이나 일본에 입국한 뒤 안전하게 살 수 있게 되었다고 해서 그 이후에 사회적 차별을 겪지 않는다는 뜻이 결코 아니라는 사실은 또 다른 차원에서 심각한 문제를 초래한다. 이들은 탈북민으로서 다시금 새로운 유형의 차별적인 환경에 노출이 될 수밖에 없는 자신의 처지를 한탄하고 있었다.

사회적 차별이란 제도적 안전장치를 제대로 갖춘다는 것과 차원이 다른 의미를 지닌다. 아무리 제도적인 장치를 완벽하게 갖추어 놓는다고 해도 사람과 사람 사이의 감정이 얽힌 교류과정에서 나타나는 차별의 관행을 완전히 차단한다는 것은 현실적으로 불가능해 보인다. 간혹 가해자 집단에 속한 사람이 차별하려는 의도가 전혀 없이 그저 무심한 말이나 행동으로 탈북민의 "마음을 덜컹 내려앉게 만드는" 경우도 분명히 나타난다. 그런가 하면 오히려 탈북민의 오해로 인하여 엉뚱한 사람이 이들을 차별했다는 이유로 억울한 비난을 받는 경우가 발생하는 것도 사실이다. 경위야 어찌 되었거나 결국 우리 사회 내부에서 탈북민 관련 이야기를 하려고 할 때마다 차별 관련 논쟁은 끝없이 이어지는 현상이 필연적으로 발생하는 것이 오늘날의 현실이라고 하겠다.

4. 탈북 북송재일동포

탈북 북송재일동포라는 표현은 이 책을 쓰기 시작할 때 처음 만들었다. 독자 여러분이 직관적으로 판단할 수 있는 것처럼 이 용어는 탈북민이라는 호칭과 북송재일동포라는 단어를 결합하여 만들어 낸 새로운 결과물이다. 말하자면 이 용어는 북송재일동포 출신의 탈북민을 가리키는 호칭으로 지금까지 널리 사용이 되었던 일이 없었다는 뜻이다. 이 책을 쓰기 시작할 때 주인공에 해당하는 탈북 북송재일동포 집단을 적확하게 표현해 줄 용어가 마땅하지 않다는 사실을 깨달았고 결과적으로 이와 같이 예전에 없던 호칭을 만들어 낸 것이다.

결국 탈북 북송재일동포라는 용어는 제2차 세계대전 종전 이후 일본에 남아서 조센징이라는 호칭 아래 차별을 받는 존재로 살다가 1959년 12월 이후 1984년까지 약 25년 동안 이른바 "귀국선이라고" 부르던 북송선을 타고 북한으로 이주한 93,400명과 그 자녀, 손자녀로 탈북한 사람 집단을 가리킨다.[16] 이런 특성을 감안할 때 탈북 북송재일동포는 탈북민 중에서도 그 숫자가 아주 적을 수밖에 없다.

이렇게 숫자가 많지 않은 만큼 탈북민 중에서도 탈북 북송재일동포의 존재를 정확하게 인식하지 못하는 사람도 나타난다. 단순히 북송이라는 단어만 듣고 1990년대 중반 고난의 행군 이후 중국의 공안당국이 북중국경지역에서 탈북한 사람을 체포한 뒤 강제로 북한 보위부에 넘겨주는 일을 떠올리는 경우도 많았다. 한 마디로 같은 탈북민이라고 하더라도 북한에서 이른바 째포로 살아가던 북송재일동포와 그 후손 출신으로 탈북한 사람은 다른 탈북민과 분명하게 구별이 되는 특징을 지닌다는 뜻이다.

일반적으로 탈북민은 탈북 북송재일동포 이야기를 잘 모르기도 하지만 자신의 일이 아니라고 생각하기 때문인지 이 문제를 정확하게 파악하고 이해하려는 경우가 많지 않다. 반면에 탈

---

16 북송재일동포의 규모는 자료에 따라 다른데 대략 100,000명 내외의 인원이 북한으로 이주했다고 나오는 경우가 많다. 그런데 北朝鮮歸國事業關係資料集(新幹社, 1995) 지면을 보면 93,334명이라고 밝혀 놓았다. 재일조선인 86,603명과 일본인 배우자 및 입양 자녀 등 6,731명이 북한으로 이주해 갔던 것으로 이 자료집에 나와 있다.

북 북송재일동포들 역시 자신과 가족이 어떻게 살아왔는지 적극적으로 알리려 하지 않는 것으로 나타난다.[17] 이들은 다른 탈북민과 달리 스스로 이 문제를 자신의 일로 인식하는 당사자 정체성을 갖고 있지만 탈북 이후 시간이 오래 지나고 난 이후에도 그 실체를 특정하기 어려운 공포감과 두려움을 호소하면서 조용히 살고 싶다고 자신의 과거 경험을 공유하는 일 자체를 회피하는 경우도 드물지 않았다.

물론 다른 탈북민과 마찬가지로 탈북 북송재일동포 역시 북한을 떠난 뒤에 중국 등 제3국을 거쳐 한국에 정착하는 사례가 가장 많은 것으로 나타난다. 그렇지만 이들이 다른 탈북민과 확연하게 다른 점도 있다. 이들은 일본에서 재일조선인으로 살다 북송선을 타고 북한으로 갔던 당사자와 그 자녀, 손자녀 집단으로서 대부분 탈북을 결심하는 순간부터 두 가지 선택사항 사이에서 남보다 훨씬 더 많이 생각하고 고민도 더 깊을 수밖에 없었다고 토로한다. 이들의 고민은 바로 최종 정착지로 한국과 일본 중에서 어느 곳을 선택할 것인가 하는 점이라고 했다.

---

17 탈북 북송재일동포가 모두 자신의 신분을 드러내지 않고 "조용히 숨어" 살려고 하는 것은 아니다. 국제적 활동을 통해 북송재일동포 인권운동을 전개하는 활동가를 볼 수 있는 것도 사실이다. 다만 글쓴이가 직접 면담을 진행하면서 관찰해 본 결과, 한국보다 일본을 최종 정착지로 선택한 사람이 조총련 조직의 위협이 두렵다고 하면서 "조용히 숨어" 살고 싶다고 하소연하는 경우가 많았다.

1세대 어르신 중에서는 어린 시절에 자신이 살았던 고향으로 돌아가고 싶다는 마음으로 한 치의 망설임 없이 일본으로 가겠다고 결정했던 비율이 상대적으로 높게 나타나는 것은 충분히 이해할 수 있는 일이라고 생각한다. 이들이 일본을 떠나기 전에는 어느 정도 시간이 지나고 나면 북한과 일본을 왕래할 수 있을 것으로 기대하는 사람이 많았다고 했다. 그런데 일단 북송선을 타고 북한으로 이주해 간 사람들은 대부분 단 한 번도 일본을 방문할 수 없었다.[18] 그런 만큼 예전에 자신이 살았던 일본에 가고 싶어 하는 마음이 컸을 것이다. 반면 1.5세대나 2세대 집단의 사정은 결이 다르게 나타난다. 일본이라는 나라가 부모와 조부모 세대에게는 직접 살았던 곳이라서 애틋한 마음이 남아 있겠지만 자신에게는 낯선 땅이고 말도 통하지 않는데 거기 가서 어떻게 사느냐 하면서 한국을 최종 목적지로 선택하는 사람이 상대적으로 많은 것으로 나타난다.

---

18 1997년 11월, 북일교섭의 결과로 1959년 이후 1984년 사이에 소위 귀국선이라고 부르던 북송선을 타고 조선인 남편을 따라 북한으로 이주했던 일본인 처 15명이 단체로 자신의 고향인 일본을 방문했던 일이 있다. 그 당시 일본 정부는 북한당국에 상당한 규모의 쌀을 지원했던 반면 북한당국은 일본의 연립여당 방문단이 북한을 방문하는 기회를 제공하였다. 이렇게 북일 양국의 이해관계가 맞아 떨어지면서 북송선을 탄 재일조선인의 일본인 처 고향방문 행사가 역사상 처음으로 이루어지게 된 것이다. 그런데 이런 방식의 행사는 오래 이어지지 않아서 아쉬움을 남긴다. 1997년 이후 2000년 사이에 총 3회에 걸쳐 겨우 43명의 일본인 처가 고향을 방문하는 경험을 하는 것으로 이런 행사는 끝이 났다.

여기서 중요한 사실은 탈북 북송재일동포의 숫자가 전체적으로 얼마나 되는지 정확하게 파악해서 발표해 주는 기관이 전혀 없다는 점이다. 사실 2021년 6월 현재 시점에서 탈북 북송 재일동포 숫자는 물론이고 해마다 북한을 탈출해 나오는 탈북민 규모가 정확하게 어느 정도 되는지 알려주는 통계자료를 파악하는 방법은 현실적으로 존재하지 않는다는 것이 오늘의 답답한 현실이다. 북한당국이 탈북하는 사람들 숫자를 밝힌 일이 없고 대다수 탈북민이 처음 경유지로 지나는 중국 정부도 관련 통계를 작성해서 공개하려고 시도해 본 일이 없기 때문이다.

유일하게 탈북민 규모를 추정할 수 있는 근거 자료로 대한민국 통일부가 공개하는 연도별 한국 입국 북한이탈주민의 숫자가 나와 있을 뿐이다. 그렇지만 이 숫자는 해마다 대한민국에 입국하는 북한이탈주민의 규모가 어느 정도 되는지 알려주고 있을 뿐이며 한 해 동안 이른바 "비법적인 방법으로" 북한을 탈출해서 탈북 대열에 합류하는 사람이 몇 명이나 되는지 정확하게 제시해 주는 자료는 아니다.

그나마 통일부가 대한민국에 입국하는 북한이탈주민 규모를 매년 공개하기 때문에 탈북 관련 동향을 전체적으로 짐작하는 데 유용하게 활용할 수 있는 것이 오늘날 우리의 현실이라 하겠다. 이렇게 전체 탈북민의 규모가 어느 정도인지 파악하는 것도 어려운 상태에서 그 가운데 지극히 소수에 불과한 탈북 북송재일동포의 숫자를 정확하게 계산하는 일 자체가 애초에 불가능한 과업이라는 생각이 든다. 막후에 이런 사정이 있다는 정황을 돌아보면 지금까지 개별 연구자 차원에서 한국과 일본의 정부 부처나 공공기관에서 탈북 북송재일동포의 숫자를 파악하고 이들이 어떤 어려움을 겪고 있는지 구체적인 실태를 분석한 뒤 대처방안을 모색하려 시도하는 자료는 찾을 수 없었다는 사실이 전혀 이상하지 않은 일이었다는 결론을 내리게 된다.

5. 이 책의 기획 의도와 구성

1) 기획 의도

1997년 6월, 통일부 국립통일교육원 교수로 임용이 된 순간부터 북한이탈주민과 만나서 그들이 살아온 이야기를 듣는 일은 내 삶에서 중요한 의미를 지니는 부분으로 자리를 잡았다. 그 무렵부터 나는 우연히 기회를 만나기도 했고 아예 처음부터 제대로 기획을 해서 다양한 유형의 북한이탈주민을 만나는 접촉면을 넓히려고 노력해 왔다.

북한에서 온 사람을 만날 때마다 나는 그동안 북한에서 무엇을 먹었고 어떤 옷을 입으며 살았는지, 과연 이들은 탈북 과정에서 무슨 일이 겪었는지 질문하고 기록하는 일에 관심을 쏟아왔다. 이들이 자신의 마음 속 깊은 곳에 자리를 잡고 있는 이야기 보따리를 풀어내며 그동안 살아 온 삶의 여정을 들려줄 때마다 북한이탈주민 한 사람, 한 사람의 이야기는 나에게 눈물과 한숨과 절망감을 느끼게 만들어 주었다. 그렇지만 또 다른 측면에서 이들의 이야기는 인간이란 어떤 여건에 놓이더라도 생존의 가능성을 찾아서 삶을 포기하지 않고 주어진 여건에서 나름대로 기쁨과 환희와 즐거움의 원천을 찾아내는 존재라는 깨달음을 안겨 주기도 했다.

이산가족 2세로서 나 자신이 "태를 묻은 고향" 북녘 땅을 떠나온 북한이탈주민과 연결고리가 있다고 느꼈던 때문이었을까? 이 책을 쓰기 전부터 나는 이들이 북녘 땅에서 어떻게 살았는지 들려줄 때 본능적으로 끌리는 자신의 모습을 발견할 수 있었다. 당연히 북한이탈주민을 만나서 이야기를 들을 기회가 생길 때마다 나는 단어 하나도 놓치지 않으려 했고 그 의미를 정확하게 파악하기 위해서 온 몸의 신경을 곤두세운 채 귀를 기울이곤 했었다.

늘 그런 것은 아니지만 이렇게 이야기를 듣고 정리해 가는 과정에서 간혹 몇 개의 단어가 유난히 관심을 끄는 일을 경험하는 순간이 찾아오기도 한다. 처음에는 단어 몇 개가 제각각 들리다가 마치 구슬이 꿰어지는 것처럼 어느 순간에 갑자기 하나의 의미 구조로 이어지면서 새로운 뜻을 제시해 주는 지점이 나에게 찾아오는 것이다. 바로 그런 순간이야말로 나는 그동안 세상이 제대로 몰랐거나 무심하게 흘려보낸 사람들 이야기를 발굴해서 그 내용을 기록으로 남기고 싶다는 욕구에 강렬하게 사로잡히게 된다. 조센징과 째포, 탈북민이라는 호칭을 서로 연결하여 자신의 삶은 마치 어느 땅에도 온전히 뿌리를 내릴 수 없었던 "세 토막난 인생살이" 같다고 표현해 준 어르신 한 분의 발언을 확인하는 순간에도 바로 그런 격정에 사로잡혔던 것을 분명히 기억한다.

생각해 보면 오늘날 한국에서 살아가는 사람 중에 조센징과 째포, 탈북민으로 이어지는 세 개의 호칭이 어떤 의미인지 제대로 파악하는 사람은 과연 얼마나 될 것인지 궁금한 일이다. 어느덧 환갑을 훌쩍 넘어선 내 나이 또래 집단은 그나마 조센징이라는 호칭이 어떤 환경에서, 누가, 누구를, 어떤 의미로 부를 때 사용하던 용어인지 어렴풋이 짐작하는 사람도 많을 것이라고 생각한다. 그런데 과연 젊은이와 어린이도 이런 용어에 익숙할 것인가 하는 점은 여전히 강력한 의문으로 남는다.

아마도 오늘날 대다수 한국인에게 이런 호칭이 모두 낯설게 들릴 것 같다. 그렇지만 우리들 가운데 몇몇 사람은 분명히 어린 시절을 일본 땅에서 보내면서 조센징이라는 호칭 아래 차별과 멸시의 대상으로 지냈어야 했고 애써 "반쪽짜리 조국 땅" 북한에 찾아가고 나니 이번에는 째포라는 명칭으로 다시 "뼛속까지 저리는" 차별을 받으면서 살아야 했다. 또 천신만고 고생 끝에 오랫동안 살던 북한 땅을 벗어나 한국이나 일본에 입국하고 나니 이제 탈북민을 바라보는 주변의 차별적 시선 때문에 죽기 전에는 절대 "2등 시민" 위치에서 벗어나지 못할까 봐 답답하다고 자신의 서글픈 처지를 토로하고 있다. 이들의 숫자가 아무리 적다고 해도 한평생 조센징-째포-탈북민으로 살면서 늘 거주지역 내 소수자 중의 소수자로 지내 온 사람들이 분명히 이 땅에서 같이 생활하고 있으며 또 우리 사회 곳곳에 포진하여 각자 자신에게 주어진 삶을 살아가고 있다는 사실은 누구도 부인할 수 없는 일이다.

이 책에서는 바로 이 사람들 이야기를 다루어 보려고 한다. 오늘날 탈북 북송재일동포는 한국이나 일본에서 소수자로 분류하는 북한이탈주민 중에도 "목소리가 별로 크게 들리지 않는" 소수자에 속한다. 일본에서 조센징으로 천대를 받으며 살다가 북한에서 째포로 지냈고 그 이후 한국과 일본에서 소수자인 탈북민 중에서도 "결이 다른" 소수자로 분류해야 하는 탈북 북송재일동포로 살아가는 사람들 - 그야말로 소수자 중의 소수자 집단에 해당하는 이들이 겪어 온 삶의 여정을 치밀하게 묘사한 기록으로 남겨[19] 앞으로 이 땅에서 살아갈 미래 세대에게 그 내

---

[19] 근래에 들어 클리포드 기어츠 Clifford Geertz 저서에 나오는 thick description 개념을 두꺼운 기술(서술), 중층기술(서술) 같은 용어로 번

용을 제대로 전달하고 싶다고 생각한 것이 바로 이 책을 기획한 의도의 출발점이었다. 이 작은 책을 통해 오늘날 이 땅의 젊은 이가 한 사람이라도 더 사회학적 상상력을 발휘할 능력을 갖춘 상태에서[20] 탈북 북송재일동포의 생애 과정 전체를 마치 자신의 일이라도 되는 것처럼 안타까운 심정을 느끼며 당시 상황을 치밀하게 반추하는 기회를 갖는 일이 일어나면 좋겠다.

2) 구성 순서

이 책은 모두 6개 부분으로 구분해 놓았다. 전체적으로 이 책의 순서는 다음과 같이 구성하였다.

우선 제1장에서는 지금 독자 여러분이 읽은 것처럼 제목에 등장하는 조센징과 째포, 탈북민, 탈북 북송재일동포 같은 호

역하는 사례를 볼 수 있다. 이런 방식으로 주요 용어를 번역하는 관행에 맞서 이 책에서는 맥락에 따라 치밀한 묘사나 촘촘한 서술 같은 표현을 사용하고자 한다. 개인적으로 두꺼운 기술이나 중층기술 같은 표현을 볼 때마다 그 용어를 사용하는 사람은 무슨 말을 하고 싶은 것인지 모르겠다는 생각이 들어 혼란스럽다. 도대체 무엇이 두껍다는 말인지, 중층이라 하면 몇 개의 층을 말하는지 알 수 없어 반감이 솟구치는 심정에 빠져들기도 한다. 기회가 된다면 두꺼운 기술이라는 용어를 사용하는 사람을 찾아가서 사전에서 thick이라는 단어를 찾아 처음 나오는 뜻풀이를 그저 가져다 붙이는 방식으로 주요 용어를 번역하는 행위가 학자의 역할을 제대로 감당하는 일이라고 생각하는지 직접 질문을 하고 답변을 들어보고 싶은 심정이다. Clifford Geertz, The Interpretation Of Culture, Basic Books: 1985, 3rd edition.

20 C. Wright Mills, Sociological Imagination, Oxford University Press: 2000 40th edition.

칭이 어떤 의미를 지니고 있는지 간략하게 설명하는 것으로 시작한다. 그 다음에는 이 책의 기획 의도와 전체적인 구성이 어떤 특징을 지니고 있는지 제시해 놓았다.

이어서 제2장에서는 이 책의 주인공인 탈북 북송재일동포와 이들의 주변에서 밀접한 관련을 맺고 있는 인물 이야기를 전형적으로 보여주는 가상의 유형을 몇 개 등장시켜 보려고 한다. 우선 북송 당사자는 북한으로 이주한 시기에 따라서 초기형과 중기형, 후기형으로 구분하였고 주변 인물은 그 특성에 따라 잔류 후원형, 북송 갈망형, 선전 선동형으로 나누어 놓았다. 물론 이 부분에 등장하는 가상의 유형이 실제로 존재하는 특정인 몇 사람의 이야기를 그대로 반영하여 만든 형상은 아니었다. 그러나 가상의 유형이라는 개념이 곧 거짓이라거나 실제로 존재하지도 않는 내용을 서술했다는 의미가 아니라는 사실을 분명히 밝혀 두려 한다. 말하자면 이 부분에 나오는 가상의 유형은 필자인 내가 직접 심층면담 대상자로 만난 사람들 이야기를 밀도 높게 묘사해 주는 전형적 사례의 역할을 한다는 뜻이다. 그런 의미에서 이 책의 제2장 부분에 나오는 가상의 유형은 일종의 이념형ideal type 개념에 해당한다고 생각한다.[21]

---

21 막스 베버Max Weber 이론 체계에 등장하는 이념형ideal type 개념은 주어진 세계 속에서 특정한 현상이 다양하게 발현하는 요소를 일정한 관점에 따라 농축하여 반영하는 인식의 틀로 현실을 그대로 투영하지는 않지만 가장 전형적인 상황을 보여주는 역할을 한다.

다음으로 제3장에서 일본 내 조센징의 사회적 위치라는 제목 아래 이들이 일본에서 사는 동안 어떤 일이 일어났는지 다각적 관점에서 분석한 내용을 서술하려 한다. 북송 당사자인 탈북 북송재일동포가 조센징이라는 명칭으로 일본에서 힘겨운 일상을 이어갈 때 보이지 않는 곳에서 연합군최고사령관총사령부와 국제적십자위원회, 일본 정부, 북한당국, 한국 정부 사이에서 미묘한 역학관계가 일어났는지 살펴보고 그 결과로 이들이 언제, 어떻게 북한으로 이주하는 일이 일어났는지 서술하는 것이 제3장의 일차적 목표이다. 제3장은 조센징과 째포, 탈북민으로 이어지는 탈북 북송재일동포의 생애 과정 첫 단계인 조센징 시절 이야기로 채워져 있다고 해야 할 것이다.

제4장에서는 북한 내 째포의 사회적 위치라는 제목으로 탈북 북송재일동포 집단이 북한으로 이주한 뒤 그 곳에서 경험한 일상생활을 서술하고 있다. 일본 니가타 항구를 떠난 북송선이 북한의 청진항에 도착하는 순간부터 거주지 배치를 받은 뒤 학교 교육을 마치고 직장생활을 하는 동안 이들이 어떤 일을 겪었는지 서술하고 아울러 결혼과 자녀 양육, 마침내 탈북을 결심하고 결행하는 과정까지 들여다보려고 한다. 말하자면 제4장은 이 책의 주인공 탈북 북송재일동포가 북한으로 이주한 이후 어떻게 일상생활을 영위하다 탈북을 하게 된 것인지 시간의 흐름에 따라 서술해 볼 예정이라는 뜻이다.

제5장에서는 한국과 일본 내 탈북민의 사회적 위치라는 제목 아래 이 책의 주인공 집단이 북한을 탈출한 뒤 어떤 행적을 보이고 있는지 서술해 볼 예정이다. 말하자면 이들이 한국과 일본에서 탈북민으로서 지금까지 어떻게 살아왔는지, 또 앞으로는 어떻게 살아나갈 계획을 세우고 있는지 그동안 잘 드러내지 않았던 "목소리를" 최대한 효율적으로 소개하면서 감추어진 생애 과정을 치밀하게 묘사해 보려 한다.

　마지막으로 제6장은 조센징-쩨포-탈북민의 국적과 정체성이라는 제목 아래 이 책에서 논의했던 내용이 탈북 북송재일동포 생애에 전체적으로 어떤 의미를 지니는지 되새겨 보고자 한다. 그 가운데 일본-북한-한국이나 일본-북한-일본으로 이어지는 이들의 생애 과정에서 국적 문제는 과연 어떤 의미를 지니는 사안인지 다각적으로 생각해 보고자 한다. 이들의 생애 과정에서 국적 문제는 탈북 이후에도 여전히 "나는 누구인가" 되묻는 정체성 확립에 아주 중요한 영향력을 행사한다는 점에서 심층적 분석을 시도해 봐야 할 영역이라 하겠다.

2021년 현재 통일부 북한자료센터에서 입수 할 수 있는 화보집 「조선」 표지 중에서
가장 오래 전에 나온 것은 1964년 3월호에 해당한다.

1956년 4월 25일 창간한 월간 화보집으로 평양 조선화보사에서 발행한다. 간혹 연간 9회나 10회, 11회 나오기도 한다. 1997년 이후 한글과 영어, 러시아어, 중국어, 프랑스어로 발간하고 있다.

Part II

북송 당사자와
주변 인물들

제2장은 이 책에 등장하는 탈북 북송재일동포 여러분이 각자 겪어 온 인생 역정을 소개하고자 할 때 꼭 필요한 가상의 면담 대상자 유형을 북송 당사자와 주변 인물 유형으로 구분하여 소개하는 일부터 시작할 예정이다. 가상의 면담 대상자 유형은 이 글을 쓴 내가 직접 만나 이야기를 채록했던 심층면담 대상자 여러 사람의 특성을 녹여내서 글의 맥락에 맞게 새로 주조해 낸 일종의 이념형에 해당한다. 그런 의미에서 다른 이야기로 넘어가기 전에 먼저 이 책 속에 등장하는 심층면담 대상자는 누구이며 이 글을 쓴 필자로서 나는 언제, 어떤 경로를 통해서 이들을 만났는지 간략하게 소개해 두는 것이 필요하다고 생각한다.

이 책에 등장하는 심층면담 대상자와 나는 2019년 12월 이후 2020년 2월 사이에 한국과 일본에서 직접 만나서 이야기를 나누었다. 이 시점은 정확하게 내가 2019년 한 해 동안 통일부 북한인권기록센터 용역을 수행했던 결과 보고서를 막 제출하고 난 직후에 해당한다.

한편으로 중국 우한에서 예사롭지 않은 폐렴 증상이 유행처럼 퍼지고 있다는 소식이 쏟아져 들어오던 시점이기도 했다.

그 당시에는 누구나 처음 경험하는 질병의 특성을 잘 모르고 그저 막연한 공포감에 눌려 있던 시점이라 불안했을 것이지만 2020년 2월 27일 일본 치바현에 거주하는 심층면담 대상자를 만나려고 그 전날 출국했다가 3월 1일에 귀국하는 일정으로 움직였던 나는 한층 더 불안할 수밖에 없는 상황이었다. 무엇보다 심층면담 대상자한테 폐를 끼치는 일이 아닐까 하는 마음에 마지막 순간까지 망설이고 또 망설이는 시간을 보냈었다. 그렇지만 자신은 괜찮으니 올 수 있으면 오라고 권유하시는 심층면담 대상자의 말씀에 용기를 얻어 김포공항을 떠났고 다음 날부터 그 분을 만나 몇 차례에 걸쳐 길고 긴 이야기를 들으며 내용을 기록해서 이 책에 반영하였다.

사실 이 책을 쓴 나는 2019년 4월 이후 10월 사이에 통일부 북한인권기록센터 용역을 받아 탈북 북송재일동포와 주요 관계자를 포함하여 총 100명을 대상으로 심층면담을 시행하고 그 결과를 정리하여 보고서를 제출한 일이 있었다. 통일부에 용역보고서를 제출하고 난 직후에 나는 면담에 참여해 준 사람들 가운데 몇 분을 찾아 감사 인사를 전하고 후속 면담을 진행하였다. 이 기간에 처음 만났던 사람도 일부 있었지만 대부분 그 이전에 이미 만나서 심층면담을 진행했거나 다른 경로로 오래 전부터 어느 정도 친분을 쌓은 상태에서 다시 찾아가는 경우가 많았다. 이렇게 먼저 라포rapport형성이 이루어져 있는 상태에서 이들의 이야기를 들으며 채록하는 경우가 많다 보니 면담을 진행하는 과정을 상당히 효율적으로 진행할 수 있었다.

당시 용역은 적은 예산으로 감당하기 어려운 분량의 작업을 요구하는 일이었지만 평소 북송재일동포 문제에 관심이 많았던 나는 과제 자체의 내용이 탐구해 볼 가치가 있으니 기회가 주어졌을 때 조건이 좋지 않더라도 일단 연구 활동에 도전해 보는 것이 필요하다고 판단하여 시작하게 되었다. 실제로 용역을 수행하는 과정에서도 발주처의 무리한 요구와 잦은 지침 변경에 더하여 일본 지역 심층면담을 진행하기로 약속했던 사람의 이해할 수 없는 소행과 일정을 전혀 지키지 않는 이상한 처사로 인해서 여러모로 불쾌하고 부당한 경험을 하면서 마음고생이 심했다. 연구책임자로서 추가로 비용을 부담해야 하는 부분도 버거운 상황이었다. 게다가 처음 용역을 시작하던 무렵에 발주처 기관장은 용역 결과를 책자로 출판하는 것이 좋겠다 하면서 먼저 제안을 했었지만 막상 일을 시작하고 난 다음에 태도를 완전히 변경하는 장면을 목격하게 되었다. 그 사람은 연구팀이 계약을 마치고 과업에 착수하고 난 뒤에 용역보고서에 나오는 내용을 학술적 목적으로 발표하는 것은 어떤 형태라도 절대 용납할 수 없다고 했다. 이 일은 지금도 여전히 부당하고 억울한 일이라고 생각하지만 어차피 더 이상의 논란을 이어가고 싶지 않은 마음이 더 컸기 때문에 미련을 완전히 접고 말았다.

다만 이렇게 힘들고 어려운 시간에 고맙게도 심층면담에 호응해 준 몇몇 사람에게 감사의 인사를 표현하는 일은 절대 포기하고 싶지 않았다. 그래서 용역 보고서를 제출한 직후에 한국과 일본에 계시는 몇 분에게 연락을 하고 감사의 인사를 표현하고 싶다는 뜻을 전달했고 가능하면 다시 만나서 이야기를 나누고자 한다는 의사를 밝혔다. 이 과정에서 규모는 훨씬 줄어들었지만 다시 심층면담을 진행하며 자료를 수집하는 기회를 포착할 수 있었다.

이미 심층면담 대상자가 되어 주셨던 분을 다시 만나 이야기를 듣는 경우가 많다 보니 작업의 진도는 빨랐고 대화의 밀도 역시 그 이전보다 훨씬 치밀했다. 심층면담을 주도적으로 이끌어 가야 하는 연구자로서 나도 기본적으로 알고 있는 내용을 토대로 치밀한 서술 수준을 하려고 할 때 정보가 부족해서 아쉬움이 남았던 부분을 다시 확인하고 논리가 엉성한 부분에 질문을 집중해서 전체적 구조를 촘촘하게 채워 넣는 작업을 효율적으로 진행할 수 있었다.

이 책에 등장하는 심층면담 내용은 몇 개의 예외적 사례를 제외하면 이렇게 용역을 마치고 난 뒤 감사 인사를 한 것을 계기로 추가 면담을 시행하면서 수집한 자료를 정리하여 제시해 두었다는 점을 확실하게 밝혀 놓으려 한다. 그리고 용역을 수행하는 과정에서 일정이 맞지 않아 만나지 못했던 면담 대상자 몇 분에게 연락하여 이 시기에 찾아가서 이들의 이야기도 들었다. 이 책에 등장하는 가상의 면담 대상자 유형은 이렇게 추가로 실행했던 심층면담 내용과 새로 만났던 인물에게 들은 이야기를 다양한 방식으로 반영해 놓은 결과물이다.

힘들고 어려웠던 과정을 거치면서 수집한 면담 자료였으니 하루속히 논문이나 책으로 엮어내려 했으나 오히려 자료를 들춰 볼 때마다 복잡하고 힘들게 지나갔던 시간이 떠올라 쉽게 엄두를 내지 못한 상태로 그냥 덮어 두었다. 그러면서 시간이 많이 흘렀고 여기서 더 미루다 보면 아예 북송재일동포를 주제로 하는 책이나 논문은 시작도 하지 못한 채 끝이 날지도 모른다는 두려움이 생겨 아직 준비가 충분하지는 않지만 일단 무작정 도전할 것을 결정하였고 이번에 이 책을 세상에 내놓게 된 것이다.

이제 아래 부분에서 가상의 면담 대상자 유형을 먼저 소개하고 난 다음에 각각의 유형에 속하는 사람들의 이야기를 통해 탈북 북송재일동포가 살아 온 과정을 소개하고자 한다. 전체적으로 탈북 북송재일동포의 전형적 유형을 소개하면서 이들의 인생역정과 직접적으로나 간접적으로 연결이 되어 있는 사람의 경험과 생각을 따옴표 안에 넣어 직접인용문 형태로 제시함으로써 이 책의 내용을 끌어나가는 방식을 활용하였다. 이런 맥락에 따라 가상의 면담 대상자 유형은 크게 두 개의 이념형 형태로 북송 당사자와 주변 인물로 구분하여 제시하였다.

우선 첫 번째 이념형에 해당하는 북송 당사자 유형부터 그 개념을 설명해 보고자 한다. 일본에서 조총련이라는 호칭으로 살다 북한으로 이주해 갔던 사람 본인과 그 자녀 및 손자녀에 해당하는 사람을 모두 포함하는 개념으로 북송 당사자 유형이라는 용어를 사용한 것이다. 북송 당사자 유형에 속하는 사람은 각자의 사정에 따라 이런저런 차이점은 나타나지만 탈북 북송 재일동포 문제가 곧 자신의 일이라고 생각한다는 점에서 공통점을 드러내고 있다. 그런 맥락에서 이들을 북송 당사자 유형으로 구분하여 [1. 북송 당사자 유형] 부분에 제시해 놓았다.

북송 당사자 유형은 이들이 북한으로 이주한 시기를 기준으로 초기형, 중기형, 후기형 등 하위유형 3개로 구분하였다. 같은 북송 당사자 유형이라고 해도 초기형, 중기형, 후기형 집단은 그 구성원의 특성을 비롯하여 이주 배경과 동기, 이주 당시의 생활 형편 등 여러 측면에 걸쳐서 하나로 묶을 수 없을 만큼 차이점이 뚜렷하게 드러난다. 무엇보다도 초기형과 중기형, 후기형 등 각각의 유형에 해당하는 사람들 규모가 왜 그 정도로 확연하게 차이를 드러내게 되는지, 이런 사실이 발현하게 된 원인과 결과의 의미를 차분하게 되짚어 보는 것도 필요한 일이라고 생각한다.

[그림 2-1] 시기별 북송선 탑승 인원

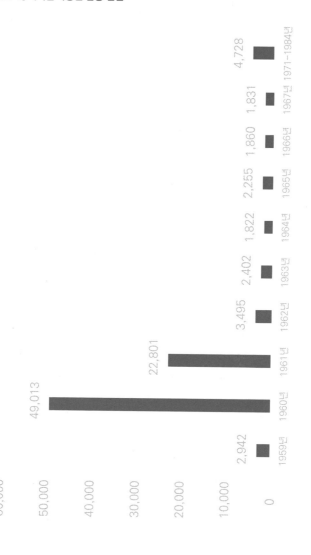

앞에 등장하는 [그림 2-1] 내용을 관찰하면 그 자체로 재미있는 결과가 나타난다. 똑같이 일본을 떠난 뒤 북한으로 이주해 간 북송재일동포라고 해도 이들이 언제 북송선에 탑승하였는지 비교해 보면 연도별로 큰 폭의 차이를 드러내는 시점이 확연하게 드러난다. 이 그림을 토대로 분류하면 초기형 북송 당사자는 1959년 12월 제1항차 북송선부터 1961년 12월 제85항차 북송선이 출항할 때까지 그 배에 탑승했던 74,756명의 인원을 말한다는 사실을 독자 여러분도 쉽게 파악할 수 있을 것이다. 다음으로 중기형 북송 당사자는 1962년 들어 출항한 제86항차 북송선부터 1967년에 제155항차 북송선에 탑승한 13,665명을 의미한다. 마지막으로 후기형 북송 당사자는 1971년~1984년 기간에 총 4,728명이 북송선에 탑승해서 일본을 떠나 북한으로 이주해 간 사람을 말한다.

초기형 북송 당사자가 총 25개월 동안 74,756명 수준에 이르는 반면 중기형 북송 당사자는 6년에 달하는 72개월 동안 13,665명에 불과했고 후기형 북송 당사자는 훨씬 긴 시간 동안 북송선에 탔던 사람이 겨우 4,728명에 그쳤다. 초기형과 중기형, 후기형 유형을 비교해 보면 시간의 흐름에 따라 북송선을 탑승한 인원이 얼마나 빠르게 줄어들었는지 누구나 쉽게 알 수 있을 것이다.

한편 [2. 주변 인물 유형] 부분에서는 두 번째 이념형인 주변 인물 유형을 제시해 놓았다. 이들은 탈북 북송재일동포 당사자는 아니지만 서로 밀접하게 이어져 있다는 뜻에서 주변 인물 유형이라는 이념형 아래 하나의 집단으로 묶어서 제시했다. 당연히 주변 인물 유형은 자신이 직접 일본에서 북한을 향해 떠나는 북송선을 탔거나 그 후손인 사람은 포함하지 않는 개념이다. 그러나 다양한 측면에서 탈북 북송재일동포 집단과 밀접한 관계를 맺은 채 오랫동안 살아온 사람을 모두 포괄하는 이념형이기 때문에 주변 인물 유형이라는 개념으로 표현해 보려 했다.

주변 인물 유형도 그 활동에 따라 세 가지 하위유형으로 세분해 보았다. 가족이나 친척이 북한으로 떠난 뒤 일본에 남아 아주 오랫동안 다양한 물건과 돈을 보내며 살았던 잔류 후원형, 누구보다 열정적으로 북한에 가고 싶어 길을 찾아 나섰지만 결국 일본을 떠나지 못하고 좌절했던 북송 갈망형, 북송사업을 진행하던 당시 조총련 소속 조직원으로 주변 사람을 적극적으로 설득해 북한으로 보내는 일에 앞장섰던 선전 선동형 등이 바로 그 하위유형에 해당한다.

탈북 북송재일동포가 살아 온 과정을 설명하려 할 때 누구보다 당사자의 이야기를 상세하게 듣고 기록하는 일이야말로 가장 중요한 의미를 지니는 과업이라고 할 수 있겠다. 그런 의미에서 [1. 북송 당사자 유형] 부분에 등장하는 북송 당사자 유형은 일본에서 조센징으로 살다 북한으로 이주한 뒤 째포로 살았고 그 이후에 북한을 탈출해서 2021년 현재 한국과 일본에서 탈북민으로 거주하는 사람의 전형적인 경험담을 이해하고 분석하려 할 때 일종의 이념형으로서 매우 중요한 역할을 수행하고 있다 하겠다.

그러나 [2. 주변 인물 유형] 부분에 등장하는 주변 인물 유형의 이념형 역시 중요한 의미를 지닌다는 사실을 독자 여러분도 함께 기억해 주면 좋겠다. 비록 주변 인물 유형의 이야기가 북송 당사자의 생애 과정을 직접 묘사하는 것은 아니라 하더라도 이들의 경험담 역시 탈북 북송재일동포의 일상적인 삶과 밀접하게 이어져 있다는 점은 부인할 수 없는 일이다. 그런 의미에서 주변 인물 유형의 이야기가 탈북 북송재일동포의 삶을 기록한 내용이 아니라는 이유로 도외시하려 한다면 전체적 맥락에서 이 사안의 전후 사정을 파악하고자 할 때 오히려 중요한 부분을 놓치게 될 가능성이 크다고 생각한다.

북송 당사자 유형과 주변 인물 유형이라는 이념형을 구상하는 기초자료로 심층면담 대상자를 만나 이야기를 들었던 나는 가상인물의 따옴표 속 발언을 읽을 때마다 언제, 누가 어떤 표정으로 자신의 경험담이나 감정을 표현해 주었는지 생생하게 되살아 나는 느낌을 받는다. 다만 이 책에 소개하는 가상인물의 발언 내용은 비록 직접인용문 형태로 제시해 놓은 경우라고 해도 어느 특정한 개인의 발언을 그대로 옮겨 놓은 것은 아니라는 점을 독자 여러분이 반드시 기억해 주었으면 좋겠다.

물론 따옴표 속 가상인물이 들려주는 발언 내용은 단 한 마디도 예외가 없이 심층면담 대상자 집단이 이 책을 쓴 나를 만났을 때 직접 들려준 이야기를 그대로 반영하고 있다. 이 말이 의미하는 내용은 곧 책에 등장하는 가상인물이 현실에서 살아가는 실제적 개인은 아니라고 하더라도 그 발언 내용은 모두 이들의 경험담을 녹여내서 압축적으로 표현해 주고 있다는 뜻이다.

그런 의미에서 이 책에 등장하는 가상의 심층면담 대상자 유형은 북송재일동포 출신 탈북민이나 이들과 밀접한 관계를 가진 주변 인물들의 전형적 생애 과정을 표현해 주는 이념형 역할을 한다고 보면 될 것이다. 이제부터 책 속에 등장하는 가상의 심층면담 대상자 유형을 소개하고자 한다.

1. 북송 당사자 유형

기본적으로 이 부분에서 당사자 유형이라고 명명한 이념형에 속하는 사람은 일본에 거주하다가 북송선을 타고 북한으로 이주해 간 1세대 어르신을 필두로 그 자녀와 손자녀 세대까지 모두 포괄하는 개념으로 사용하고 있다. 그러나 직접 북송선을 타고 일본에서 북한으로 이주한 1세대 어르신의 존재가 지니는 의미는 불가피하게 그 자녀나 손자녀 세대와 어느 정도 구별을 해야 하는 측면이 있다. 만약 1세대 어르신 집단이 북송선에 탑승하지 않았다면 북송재일동포라는 개념 자체가 성립할 수 없다는 것이 현실적 상황인 만큼 이 점을 인정해야 한다는 뜻이다.

그런 의미에서 이 부분에 나오는 북송 당사자 유형의 이야기는 아무래도 자신이 직접 북송선을 타겠다고 결정한 뒤 일본에서 북한으로 이주해 갔던 사람들 경험담을 위주로 구성할 수밖에 없었다. 물론 필요에 따라 그 자녀와 손자녀 세대가 가족의 범주 내부와 외부에서 어떻게 살았는지 설명하는 이야기가 등장하겠지만 이런 내용은 어느 정도 부차적 위치를 차지하게 된다는 점을 미리 밝혀두고자 한다.

북송 당사자 유형은 다시 이들이 북한으로 이주한 시점을 기준으로 초기형과 중기형, 후기형 등 3개 하위유형을 제시해 놓았다. 그리고 각각의 하위유형은 다시 일본 내 잔류 가족 여부와 북송 당시 이삿짐 규모와 내용물, 북송 당시 지상낙원으로 간다는 꿈 등 세 가지 영역에서 어떤 차이점을 지니는지 비교해서 서술하고자 한다. 이제 3개 하위유형이 서로 어떻게 다른지 그 특징을 소개해 볼 예정이다.

1) 초기형 북송 당사자

앞서 몇 차례 언급한 바 있었지만 재일조선인 북송사업은 1959년 12월 14일에 제1항차 북송선이었던 "소련 배 두 척에" 재일조선인 975명을 태운 채[1] 일본 니가타 항구에서 북한 청진항을 향해 출항한 것을 기점으로 본격적인 궤도에 올랐다. 그 이후로 1984년 7월에 제187항차 북송선이 마지막으로 일본 니가타 항구를 떠날 때까지 25년 동안 총 93,340명에 이르는 사람들이 일본을 떠나서 북한으로 이주하였다. 당시 북송선에 탔던 사람들은 재일조선인이 가장 많았지만 간혹 일본인 배우자도 섞여 있었다. 그런데 1959년 12월 이후 1961년 12월에 이르는 초창기 25개월 사이에 전체 인원의 80.1% 수준에 해당하는 74,756명이 북송선에 탑승한 사실에 주목할 필요가 있다. 산술적으로 초창기 25개월 동안 매달 평균 2,990명 규모에 이르는 재일조선인 집단이 북송선을 타고 일본에서 북한으로 이주해 갔다는 결론이 나온다.

---

1 1959년 12월 재일조선인 북송사업 초창기 당시 이들을 북한의 청진항까지 운송해 준 선박은 소련 선적의 토보리스크호와 크리리온호 두 척이었다. 심층면담 대상자 몇몇 사람은 그 당시 처음으로 소련 배에 올라가니 "코 크고 눈 크고 냄새도 이상한" 러시아 선원들이 맞아주었다고 기억을 떠올렸다. 소련 선적의 배 두 척은 그 뒤 1967년까지 운항하다가 멈추었다. 북한 선적 만경봉호가 처음 등장했던 시점은 1967년까지 이어져 오던 재일조선인 북송사업이 3년 정도 멈추었다가 1971년 다시 북송선을 운항하기 시작했을 때였다.

① 일본 내 잔류 가족 여부

초기형 북송 당사자의 가장 큰 특징은 아마 가족과 친족 단위로 함께 이주하면서 일본 내 생활기반을 완전히 정리하고 북송선에 탑승했던 사례가 많았던 점이라고 생각한다. 이들은 대부분 자신이 다시금 일본으로 돌아오고 싶어 할 가능성은 전혀 없다고 생각하지 않았을까 싶다. 심지어 북한으로 이주하고 난 이후에 오랫동안 일본에 남은 가족이나 친척에게 물건이나 돈을 받는 이웃의 다른 북송재일동포를 부러운 시선으로 바라보는 자신의 모습은 상상할 수 없었을 것 같다. 그만큼 초기형 북송 당사자는 대부분 북한 내 생활수준과 관련하여 구체적인 정보를 알지 못했고 일본 생활의 어려움을 벗어난다는 희망으로 들떠 있는 경우가 더 많았던 것 같다.

이들이 먼 훗날에 경제적인 지원을 받을지도 모른다는 생각으로 일본에 가족이나 친척 몇 사람 남겨 둔 채 떠나지 않고 모두 함께 북송선에 탑승하는 것으로 결정했던 이유는 무엇일까? 무엇보다도 당시 조총련 조직을 통해서 일본 내 재일조선인 대상으로 선전 선동활동에 집중하던 북한당국은 "아무 것도 가져오지 말아라, 일본에서 사용하던 물건은 다 버리고 오면 된다, 조국에 도착하는 순간부터 먹고 입고 공부하고 질병 치료를 하는데 돈 한 푼 쓸 필요가 없다, 집에 들어서면 쌀독에는 바닥이 보이지 않을 정도로 곡식이 가득 차 있고 퇴근길에는 가볍게 맥주 한 잔으로 목을 축이면서 생활을 즐길 수 있다" 하는 언설을 끊임없이 쏟아내는 현실이 크게 작용했던 것 같다.[2]

초기형 북송 당사자 집단이 모두 이런 말을 믿었던 것은 아니다. 심층면담 대상자 중에서는 6·25전쟁이 끝난 것도 그리 오래 된 일이 아닌데 그렇게 짧은 시간에 북한주민의 생활수준이 선전화보에 등장하는 수준 정도로 높아졌다는 주장을 그대로 믿어야 하는지 의심하는 사람도 많았다고 회고하였다. 그렇지만 이런 의문은 "어차피 우리가 호강이나 하려고 조국을 찾아가려 하는 것이 아니다. 조국의 인민과 함께 고생하면서 앞날을 건설하는 길에 작은 벽돌이라도 하나 올려놓고 싶다" 하는 감성적 논리로 사람들의 심정을 추동하는 분위기가 강해서 감히 맞서볼 기회도 없이 뒤로 밀려나는 경우가 많았다고 했다.

실제로 이런 분위기에 들떠서 직계가족을 포함하여 친척까지 모두 함께 하루빨리 북한으로 가야 한다며 서둘러 재산 정리에 나서는 사람이 많았던 것이 초기형 북송 당사자의 중요한 특성이었다. 당시 재일조선인의 전반적인 경제 상황은 대체로 "하루 벌어 하루 먹고사는 것도 힘겨운" 수준이었는데 이런 사람은 재산을 정리하는 과정이 별로 복잡하거나 어려울 것이 없

2 "日本 一部新聞の「北」報道: 私の 見たのと 大違い"「統一日報」1985년 6월 1일자.

어 크게 문제가 될 사안이 아니었다. 이들은 그저 가지고 있던 물품을 처분해서 돈을 마련한 뒤 가볍게 북송선에 오르면 되는 일이었다.

　문제는 당시 재일조선인 중에 간혹 고물상을 비롯해 야끼니꾸燒肉·燒き肉, 호르몬야끼ホルモン焼き[3] 식당, 소규모 공장 운영으로 재산을 어느 정도 모은 사람이 서둘러 처분하려 할 때 생각처럼 쉽게 해결할 수 없는 경우가 간혹 발생했다는 점이었다. 그런데 살던 집과 사업체를 정리하고 자녀들 학교에 북한으로 이주한다는 사실을 통보한 채 이삿짐까지 싼 이후에는 재산 정리가 다 끝나지 않았다고 해도 북송선을 타는 일을 마냥 미룰 수 없는 경우가 종종 발생하게 마련이었다. 그러다 보니 어떤 사람은 가까운 지인이나 종업원에게 사업체를 조금 저렴하게 넘겨주거나 나중에 정리해서 북한으로 보내 달라고 부탁

---

3 호르몬은 일본에서 소나 돼지의 내장을 의미하는 단어로 쓰인다. 그런 맥락에서 일본에서 호르몬야끼는 한국의 곱창구이 정도에 해당하는 음식이라고 이해하면 될 것이다. 그런데 이 단어에도 재일조선인을 차별하는 일본의 사회적 분위기가 강하게 드러나는 시절이 있었다. 최근에는 분위기가 많이 달라졌지만 예전에 일본인은 호르몬을 대체로 사람이 먹을 수 없는 부위로 생각했다. 그 덕분에 재일조선인 사회에서는 저렴한 가격으로 호르몬을 소비하는 경우가 많았다. 바로 이 사실 때문에 일본인 중에서는 호르몬야끼 음식점이라고 하면 값이 싸고 지저분한 뒷골목의 작은 식당을 떠올리면서 재일조선인을 더욱 차별적 시선으로 바라보는 사람이 많았다고 한다. 그렇지만 이렇게 차가운 시선 속에서도 재일조선인을 상대로 작은 식당을 운영하면서 재산을 모은 사람도 있었던 것이 그 당시의 현실이었다.

한 채 길을 떠나기도 했다. 그렇지만 이것도 쉬운 일이 아니라 서로 이해관계가 어긋나는 사례가 종종 나타났던 것 같다.

이런 상황에 다시 조총련 조직이 개입하여 재산을 정리한 뒤 북한으로 보내주겠다 하거나 아예 좋은 뜻에 쓰라고 기부하고 가면 어떠냐 하는 논리로 이들의 애국심에 호소하는 활동을 전개하기도 했다. 조직 차원에서 이렇게 적극적으로 활동한 탓이 있는지 결국 처분하기 어려운 재산은 조총련 조직에 다 넘겨주고 온 가족이 함께 북송선을 타는 경우도 간혹 나타났다. 어느 정도 재산을 모은 사람만 조총련에 기부한 것이 아니었다. 오히려 가난하지만 평소 조직에 대한 충성심이 강하고 늘 착실하게 살던 사람이 사실상 전재산을 헌납하는 경우도 볼 수 있었다. 이들은 마침내 "조국으로 돌아가는 감격에 겨워" 주변에서 극구 말리는 와중에도 자신이 살던 집과 가산을 정리한 뒤 겨우 여행비 정도 남긴 채 나머지는 모두 조총련에 기부한 채 북한으로 떠났다. 결과적으로 조총련 조직은 북송선에 탑승하는 인원이 늘어날 때마다 나날이 자산규모가 늘어나는 자금의 선순환 구조를 만들어 낼 수 있었다.[4]

---

4 이런 흐름은 결국 조총련 산하에 신용협동조합을 설립하고 운영하기 쉽게 만들어준 요인이라고 하겠다. 당시 일본 내 주류사회에 편입하기 어렵고 은행에서 대출을 받는 것도 사실상 불가능했던 재일조선인을 대상으로 대부업을 하던 조총련 산하의 신용협동조합은 이들이 서로 상부상조하면서 이익을 창출해 내는 구심점 역할을 했던 것으로 나타난다.

② 북송 당시 이삿짐

초기형 북송 당사자의 또 다른 특징은 일본에 살며 일상적으로 사용하던 생필품을 챙겨 가져가려 하는 인식이 그다지 강하지 않았다는 점이라고 하겠다. 물론 조총련 조직원이 선전하는 내용을 들어도 그대로 믿지 않는 사람이 있었던 것은 사실이지만 그래도 "어느 정도 고생을 각오하면 조국에서 잘 견딜 수 있지 않을까, 설마 조국의 사정이 그렇게까지 어렵기만 할까" 하는 마음으로 여전히 기대감을 품고 있는 성향이 강하다는 점이 초기형 북송 당사자의 특징이었다고 하겠다. 한 걸음 더 나아가 이들은 경제적으로 좀 어렵다고 해도 "늘 차별과 혐오의 표적 신세를 벗어날 수 없어서" 지긋지긋했던 일본 생활을 곧 끝낼 수 있다는 점을 생각하면 북한에 간 이후에 어느 정도 고생을 할 가능성이 있다고 하더라도 북송선 탑승은 충분히 시도해 볼 가치를 지닌다는 생각에 더 강하게 끌렸던 것 같다.

대체로 이런 생각을 하고 있었기 때문에 초기형 북송 당사자로서 북송선에 탑승할 때 일본에서 사용하던 생필품을 많이 준비해 온 사람이 별로 없었다는 것이 정설이었다. 간혹 조총련 활동을 열심히 하던 아버지나 삼촌, 고모부 등이 앞장서서 "이

진희관, 『재일총련의 신용조합 해체와 향후 과제』, 통일경제, 2002, 50~61쪽.

삿짐 쌀 것 없다. 짐은 크게 싸지도 말고 일본에서 쓰던 살림살이는 다 쓰레기통에 버리고 가면 된다" 하고 주장했는데 어머니를 비롯한 집안의 여자들 몇 사람이 몰래몰래 생필품을 준비해서 이삿짐 보따리 구석구석 끼워 넣어 보냈다는 사례가 나타나기는 했다. 이런 사람은 모두 그 짐을 가져가지 않았으면 북한에서 사는 동안 생활형편이 한층 어렵고 힘들었을 것이라고 가슴을 쓸어내린다는 점에서 예외가 없었다. "나중에는 바늘 한 쌈이나 이쑤시개 한 통만 더 짐 속에 넣어 왔어도 정말 좋았겠다는 생각이 저절로 들었다" 하며 이들은 한숨을 내쉬었다.

③ 지상낙원으로 간다는 꿈

초기형 북송 당사자의 세 번째 특징은 북한을 향해 니가타 항을 떠나는 순간까지 지옥을 벗어나 지상낙원으로 간다는 믿음이 중기형이나 후기형 인원에 비해서 강렬하게 나타난다는 점이라고 생각한다. 초기형 북송 당사자가 북한으로 이주해 가던 무렵에는 조총련을 주축으로 재일조선인 집단 내부에 파고들어가 선전 선동활동에 집중하던 북한당국의 논리가 "모두 낙원행 티켓을 쥐었다" 하는 이들의 믿음을 뒷받침해 주었던 점은 의심의 여지가 없는 일이라 하겠다. 그렇지만 당시 일본 사회의 전반적 분위기가 이들의 북송이 "마치 천국의 문턱을 넘어서는

일이라도 되는 것처럼" 호들갑스러운 반응을 보였다는 사실도 반드시 지적해 두어야 하는 일이다.[5]

이런 흐름은 단순하게 북한정권의 일은 무조건 편을 들던 일본 공산당 기관지인 「신문 아카하타しんぶん赤旗」 정도에서 비슷한 유형의 기사를 내보내는 수준으로 가볍게 넘어가는 것을 용인할만한 상황이 아니었다. 일본 내 여러 지식인은 물론이고 이른바 정론지라고 평가를 받는 주요 언론매체로서 마이니치 신문每日新聞, 아사히 신문朝日新聞, 요미우리 신문読売新聞등을 중심으로 "평양주민이 얼마나 풍족한 환경에서 평화롭게 살아가는지 정말 놀랐다" 하는 기사를 끊임없이 쏟아내며 북한당국의 선전 선동활동을 측면에서 지원하는 분위기를 적극적으로 조성하고 있었다는 점은 움직일 수 없는 사실이다.

초기형 북송 당사자의 일원으로 일본을 떠나 북한에 갔던 사람 중에는 이런 분위기에 힘입어서 자신이 정말 꿈과 희망으로 가득한 "낙원행 티켓을 쥐고" 북송선에 탑승하게 되었다고 생각하는 경우가 많았던 것 같다. "조국 땅" 북한에 가면 가난 때문에 다닐 수 없었던 대학에 들어가 마음껏 공부에 집중할 꿈

---

5 테사 모리스-스즈키는 1959년 12월 당시 북송선이 처음 출항할 때 일본 내 전반적인 분위기를 반영하여 2007년에 자신의 책을 영문판으로 내면서 그 제목을 *Exodus to North Korea: Shadows from Japan's Cold War*로 지었다. 2008년에 한국어 번역본을 낼 때 그 제목은 『북한행 엑서더스: 그들은 왜 '북송선'을 타야만 했는가?』로 정했다.

에 부풀었던 청년도 있었지만 돈 때문에 병원 문 앞에도 가지 못한 채 어린 자녀를 제대로 먹이거나 입힐 수 없었던 과거를 다 떨쳐버린 채 치료에 전념해서 건강을 되찾고 새로운 삶을 누리려고 희망에 찬 계획을 세웠던 중년의 가장도 많았다.

초기형 북송 당사자 집단은 유독 별로 망설이지도 않은 채 가족이나 친척 단위로 대규모 집단이 함께 북송선에 탑승한 사례가 많이 나타난다. 이런 배경에는 당시 일본의 지식인과 주요 언론매체가 만들어 내는 친북적인 사회 전반의 분위기가 중요한 몫을 했다 하는 것이 심층면담에 참여한 사람들의 일반적 반응이었다.

2) 중기형 북송 당사자

이 부분에 등장하는 중기형 북송 당사자로 분류할 수 있는 사람은 총 13,655명 규모에 달한다. 그런데 해당 기간은 상대적으로 훨씬 길어 1962년 이후 1967년에 이르기까지 총 6년에 이른다. 말하자면 72개월이라는 기간 동안 매달 평균 190명 내외의 인원이 북송선을 타고 일본에서 북한으로 이주해 갔다는 결론이 나온다.

6년 동안 13,655명이 북한으로 이주했다 생각하면 결코 적은 인원이라고 할 수 없을 것이다. 그렇지만 초기형 집단이 상대적으로 25개월이라는 짧은 기간 동안 74,756명이 이주했다는 사실과 비교하면 무려 3배 가까울 정도로 늘어난 기간 동안 5분의 1에도 미치지 못할 만큼 확연하게 줄어든 인원이 북송선에 탑승했다는 사실은 새삼 눈길을 끈다고 하겠다. 재일조선인 사회에서 북한으로 이주하는 인원이 겨우 2년 남짓한 시간이 지난 시점에 이렇게까지 급격하게 줄어드는 이유는 무엇인가? 그 이유가 무엇이든 사실상 간략하고 명쾌하게 제시할 수 없을 만큼 복잡한 양상으로 뒤엉켜 있다는 점은 분명해 보인다. 그럼에도 불구하고 시간이 지나갈수록 재일조선인 북송사업이 적어도 초기형 북송 당사자에게 그다지 희망적인 인생을 선물하지 않았다는 소문이 다양한 경로를 통해 일본 전역에 퍼져나갔던 결과가 작동했으리라는 점은 반드시 지적해야 한다고 생각한다.

재일조선인 북송사업 초창기에 북한으로 이주했던 사람이 어떻게 살아가는지 짐작할 수 있는 조짐은 이미 1960년대 초반부터 조금씩 알려지기 시작했다. 당시 가족을 먼저 보내고 일본에 남아 있던 사람들은 북한에서 편지가 올 때마다 "이런 걸 왜 보내달라고 하는지 잘 모르겠다" 싶을 정도로 소소한 물건부터 꽤 몫돈이 들어가야 구할 수 있는 기계부품에 이르기까지 "정말 다양한 품목을" 부탁하는 요청이 쏟아졌다. 그런데 이들이 보내달라는 물품을 보면 조총련의 선동 선전활동과 달리 얼마나 어려운 형편에서 살아가는지 충분히 짐작할 수 있었다고 했다.

먼저 북한에 간 사람에게 연락이 올 때마다 뜨개질할 때 쓰는 코바늘 몇 개 보내달라 하거나 반창고, 우산, 운동화, 파스, 손을 베었을 때 붙이는 밴드 등 일상용품을 소포로 부쳤으면 좋겠다는 요청을 계속 이어졌다. 재봉틀이나 편직기 등 옷을 만들 때 쓰는 소형 기계를 보내달라고 하는 편지도 많았지만 간혹 "입던 옷을 보내더라도 도움이 되니 많이 보내달라" 하는 일도 많았다는 것이었다. 이렇게 "기가 막힌" 소식이 도착하면 "처음에는 어리둥절하다가" 점차 북한으로 이주해 간 사람들 생활 형편을 짐작하게 된다는 것이었다. 보관할 수 있는 기간이 긴 카레나 라면, 조미료 종류의 식품을 보내달라는 요청도 끝없이 이어졌다.

돌이켜 보면 일본 내부에서 이런 소식을 공개적으로 널리 알려주는 매체는 찾아볼 수 없었다. 그렇지만 시간이 지나며 "주머니 속 송곳이 튀어나오는 것처럼" 재일조선인 사회에 북한으로 간 사람들 소식이 확산해 나가는 현상은 누구도 막을 수 없었다. 이런 상황에서 조총련 조직원이 북송선에 탑승할 인원을 확보하려고 일본 전역을 바쁘게 돌아다녀 봐도 크게 효과를 발휘하지 못했던 것 같다.

시간이 지나면서 점차 북한당국의 지시를 받은 조총련 본부에서 조직의 간부층을 대상으로 가족 전체가 북송선을 탈 수 없는 상황이면 자녀라도 보낼 것을 촉구하는 움직임이 강하게 나타나기 시작했다고 증언하는 사람이 있었다. 그런가 하면 일본 내 여러 지역에 포진해 있는 조선학교와 조선대학교 교원을 통해서 재일조선인 북송사업의 위대성을 적극적으로 선전하는 활동을 폭넓게 전개해 나가기도 했다는 것이 심층면담 대상자들 의견이었다.

이와 같은 상황의 변화는 아마도 초기형과 중기형 북송 당사자 규모를 비교해 볼 때 재일조선인 북송사업을 시작한 지 겨우 2년 남짓 지난 시점에서 왜 이렇게 급격한 속도로 북송선 탑승 인원이 줄어들었는지 설명해 주는 요인이 될 것이라고 생각한다. 이제 그 내용을 조금 더 자세하게 서술해보려 한다.

① 일본 내 잔류 가족 여부

초기형과 다른 중기형 북송 당사자의 특징은 일본 내 잔류 가족이 남아 있는 비율이 확연히 높아진다는 점에서 드러난다. 다시 말해서 1962년~1967년 당시에는 부모는 일본에 남고 자녀가 북송선에 탑승한다거나 형제자매 중에서 일부는 일본에 남고 일부가 북한으로 이주하는 비율이 초창기보다 훨씬 높게 나타난다는 점이 그 특징으로 드러난다는 뜻이다. 간혹 노년기에 접어든 부부가 손자녀만 데리고 북송선을 타고 떠나면서 자녀 세대에게는 일본에 남겨 둔 재산을 천천히 정리한 뒤 나중에 북한으로 와서 함께 살자고 당부하는 사례도 있었다고 한다.

물론 이 기간에 가족이나 친족 단위로 총 10명이 넘는 대규모 인원이 한꺼번에 북한으로 이주해 가는 사례가 있었다. 여전히 예전과 같이 아이와 노인을 포함한 가족이나 친족이 함께 북송선에 탑승하는 사례도 있었던 것이다. 그렇지만 부모를 동반하지 않은 청소년이 혼자 북송선에 타거나 어린 동생을 데리고 가는 형과 누나가 훨씬 많아지는 현상이 나타나기 시작한 시점이 바로 1962년~1967년 당시의 현상이었다.

　조총련 조직은 이 당시 일본 전역에 퍼져 있는 조선학교와 조선대학교 교원을 동원하여 학생들을 상대로 자원하여 북송사업에 탑승할 것을 권유하는 활동을 전개해 나갔다. 소학교에서는 별로 그런 일이 많지 않았던 것 같지만 중등학교와 대학교에서는 수업시간에 교원이 학생들을 상대로 북송사업에 참여할 희망자는 이름을 적어 내라고 강권했다는 이야기가 나온다.[6]

　이미 성인으로 각자 가족을 이룬 형제자매 중에서도 어느 집은 일본에 남고 또 어느 집은 북송선을 타고 북한으로 이주해 가는 현상도 예전보다 훨씬 많아졌다. 간혹 일본에서 희망을 품기 어려운 집안은 아들을 북한에 보내서 마음껏 공부하게 할 욕심

---

6 심층면담 대상자 중에는 자신이 교원의 권유를 받아서 희망자 명단에 이름을 적어 제출했더니 수업시간이 끝난 뒤 가장 친하게 지내던 친구가 따로 불러내서 "너 미쳤냐, 거기가 어떤 곳인데 가겠다고 나서느냐" 하며 질책하고 말렸다는 경험담을 들려준 사람도 있었다.

으로 북송선에 태우면서 같은 배를 타고 가는 형제자매나 이웃에게 자신의 아이를 따로 돌봐달라고 부탁하는 경우도 있었다고 한다. 그런가 하면 드물기는 하지만 서로 사랑하는 젊은이 두 사람이 주변의 여건이나 집안 어른들 반대를 피해 다른 사람이 쉽게 따라오기 어려운 곳을 찾다가 북한으로 도피할 목적으로 북송선에 탑승하는 사례도 간혹 볼 수 있었다는 이야기도 나왔다.

북송사업 초창기에 북한으로 이주했던 큰 아들 가족에게 돈과 물건을 전달하는 방편을 고심하다가 결국 청소년기에 이른 다른 자녀를 북송선에 태워보내는 부모도 있었다고 했다. 이런 경우가 왜 발생하는지 이해할 수 없다고 의문을 제기했을 때 심층면담 대상자들 답변으로 나온 내용을 정리해 보면 이미 북한으로 이주한 사람들이 경제적으로 곤란하게 산다는 사실을 어느 정도 알면서도 큰 아들이 먼저 떠났으니 남은 가족이 모두 갈 수밖에 없다고 생각하는 것이 그 당시의 재일조선인 집단 내 전반적 분위기라고 했다. 재산을 정리할 목적으로 부모가 당분간 일본에 머무른다고 해도 곧 따라갈 계획을 세워 두었다면 다른 자녀에게 어느 정도 물건과 돈을 들고 먼저 가도록 권유할 수 있었을 것이라고 심층면담 대상자가 설명하였다.

결국 1962년~1967년 기간에는 재일조선인 사이에서 북한으로 이주해 가는 사람이라도 일본에 어느 정도 연고를 남겨 두거나 가능하면 시간을 두고 천천히 떠나려고 하는 경향이 유행처럼 퍼져나가기 시작했다는 점이 특징으로 나타난다. 초기형 북송 당사자는 "일본 내 생활 근거를 뿌리까지 도려낸 뒤" 온 가족이 북송선에 탔었다는 점을 떠올려 보면 이들은 "그래도 어느 정도 일본에 비빌 언덕을 남겨 둔 채" 떠나고 싶어 하는 경향을 드러내 준다고 하겠다.

② 북송 당시 이삿짐

1962년~1967년 기간에 북송선을 탑승하는 사람들을 대상으로 이들의 이삿짐 규모만 비교해 보면 초기형 북송 당사자보다 그다지 줄어들었던 것 같지 않다. 다만 이들은 이런저런 소문도 들었고 간혹 먼저 북송선을 타고 북한으로 이주해 간 사람들이 어렵사리 보내온 편지에서 주로 어떤 물품을 요구하는지 어느 정도 알고 있었기 때문에 "이삿짐을 마구잡이로 싸는 일이 없었다." 그보다는 북한에서 돈과 식량으로 바꾸기 쉬운 품목을 중심으로 예전보다 효율적으로 짐을 꾸리려고 최선을 다해 노력했다는 점에서 그 차이가 명확하게 드러난다고 하겠다.

같은 중기형 북송 당사자라고 하더라도 1967년이 가까운 시점에 북송선을 탄 사람들 사이에서는 어떤 물품을 가져가야 북한에서 유용하게 사용할 수 있는지 어느 정도 알고 대비하는 전략을 쓰기 시작했던 것 같다. 이런 소식을 누가 공개적으로 알려주는 일은 사실상 없었다. 그렇지만 모두 어디서 들었는지 북송선을 타야 하는 사람은 돈이 있는 만큼 전부 다 털어서 "사카린과 맛내기, 나일론 천, 목수건, 세이코 시계" 등 북송 5대 품목을 가능하면 많이 가져가야 한다는 소문이 암암리에 널리 퍼졌다.

당시 일본에 거주하는 재일조선인 사회에는 어차피 북한에 가면 사는 형편이 어렵다는 사실은 어느 정도 알려져 있었다. 이미 북한으로 떠난 가족이나 친척은 물론이고 어린 시절 친구들이 편지로 보내달라 요청하는 물품 자체가 그들의 생활 수준을 충분히 시사해 주고 있었기 때문이었다.[7] 그나마 "소위 북송 5대 품목이라고 하는 물건을 조금이라도 더 챙겨 가야 북한에서 사정이 급할 때 요긴하게 쓸 수 있다" 하는 소문이 사람들 사이에 널리 퍼져 어느덧 재일조선인 사회 속에 일종의 상식으로 자리를 잡기 시작했던 것이다.

---

7 북송사업 초창기에는 북한당국의 편지 검열이 그렇게 심하지는 않았던 것 같다. 그렇지만 초창기가 지나고 난 뒤 1962년 무렵이 되면 벌써 북한에 거주하는 사람들이 일본으로 편지를 보낼 때 해당 구역 교포 담당 지도원이 그 내용을 다 읽어보는 수준이었다고 한다. 그래서 정말 중요한 도움을 요청하거나 북송선을 타지 말라는 것처럼 민감한 내용을 적을 때 편지지 대신 우표 뒷면에 깨알같이 쓴 뒤 이 우표는 귀한 것이니 버리지 말고 별도로 수집해 놓으라고 권유하면서 자신이 무슨 말을 하려고 하는지 파악해 줄 것을 기대하는 방식을 활용했다는 면담 대상자도 있었다.

조센징, 쩨포, 탈북민
탈북 북송재일동포의 세 토막 인생살이

이런 분위기를 알고 있었던 중기형 북송 당사자는 대부분 이 삿짐을 꾸리면서 조그만 틈새도 남지 않게 최대한 물건을 쑤셔넣었다고 말했다. 그런 만큼 이 당시 북송선을 타는 사람들 이삿짐의 특징은 "부피가 크지 않아도 무게는 아주 많이 나가서" 아무나 쉽게 옮길 수 없을 정도로 무거운 짐도 많았다고 말하는 사람이 있었다.

③ 지상낙원으로 간다는 꿈

중기형 북송 당사자 중에서는 북한 내 생활형편을 잘 아는 것은 아니라고 해도 "그 곳에 간 사람들이 호강하며 사는 정도는 아니다" 하는 정도는 모르는 사람이 없었던 것 같다. 물론 예외적인 사례로 북송 이후 잘 사는 사람도 있겠지만 북한당국과 조총련에서 재일조선인 상대로 열심히 선전하는 것과 다르게 북한주민의 생활 수준이 지상낙원 정도는 아니라는 사실은 이들도 이미 파악하고 있었다는 뜻이다.

일본을 떠나는 순간까지 중기형 북송 당사자는 어느 정도 고생할 각오를 하고 미리 철저하게 대비하면 북한에 가더라도 결국 극복할 정도 수준이 아닐까 하는 환상은 여전히 버리지 못한 상태에 머물렀던 것으로 보인다. 다시 말해서 북한주민이 경제적으로 어렵게 산다는 사실은 잘 알지만 실제로 어느 정도 궁핍하게 살아가는지, 또 경제적 측면 이외에 어떤 어려움을 겪는지 관련 정보를 제대로 파악하고 정확하게 대처 방안을 모색하는 상황은 아직 아니었다고 하겠다.

전체적인 상황이 이러하니 오히려 재일조선인으로서 일본에 산다면 도저히 이룰 수 없는 꿈을 실현하고 싶어 하는 젊은이가 북송선을 타고 싶다고 자원하는 경우도 나타났다. 어차피 일본에 살며 대학 입학은 불가능한데 대학 공부를 하고 싶다거나 폐결핵처럼 당시 수준에서 치료하기 어려운 질병을 고치고 싶은 사람이 고생을 각오하고 북송선을 타겠다는 것이 그런 사례에 해당한다.

이 과정에서 조총련에서 운영하는 조선학교와 조선대학교 교원 집단이 제자 중에 똑똑하고 능력이 있는 학생을 설득하여 북송선에 탑승하도록 유도하는 사례가 드물지 않았다고 한다. 북한이 지상낙원은 아니라는 사실은 이미 잘 알고 있으니 젊은 제자가 북송선에 탑승하고 나면 고생할 것은 자명한 일이었다. 그렇지만 적어도 일본에 그대로 살며 꿈을 포기한 채 그 가능성이 아예 없는 상태에 머물러 좌절하는 것보다는 낫지 않겠는가 생각하면서 북송사업에 자발적으로 참여하라고 권유하는 교원이 많았다고 말하는 면담 대상자도 있었다.

3) 후기형 북송 당사자

1959년 12월 14일에 제1항차 북송선 출항 이후 1984년 7월에 마지막 선박이 니가타 항구를 떠날 때까지 재일조선인 북송사업이 계속 이어졌던 것은 아니다. 1968년 1월 이후 3년 동안 북송선이 한 번도 움직이지 않았던 완전 휴지기 기간이 있었다.[8] 해당 기간을 구체적으로 서술해 보면 1967년 12월에 제155항차 북송선을 타고 북한으로 이주해 간 사람들이 떠나고

---

8 1967년 12월 22일, 북한당국이 보낸 제155차 북송선이 니가타 항구에 들어가서 다양한 행사를 치른 뒤 "일본에서 조국에 돌아오는 동포들을" 태우고 떠났다. 이 배는 1967년 12월 26일에 청진항에 도착하였다. 그 이후 다시 북송선 왕래가 재개된 것은 1971년 5월의 일이다. 1971년 5월 12일에 제156항차 북송선이 청진항을 떠났고 5월 16일, 니가타 항구에서 다시 출항하였다. 이 배는 다음 날인 5월 17일에 청진항에 도착하였다. "155차 귀국선으로 니이가다에 도착한 조선민주주의인민공화국 적십자회 대표단 단장이 재일본 조선공민들의 귀국사업을 협조해 주고 있는 일본의 각계 인사들을 위해 초대연을 차렸다: 재일본 조선공민들의 조선민주주의인민공화국에로의 귀국 사업은 귀국 희망자가 있는 한 계속되여야 한다." 「로동신문」 1967년 12월 22일자; "일본에서 조국에 돌아오는 동포들을 태운 제155차 귀국선이 청진항에 도착: 그들을 위한 청진시 환영 군중대회 진행—일본 반동정부는 재일 조선공민들의 귀국사업을 파괴하려는 음흉한 책동을 당장 걷어치우라." 「로동신문」 1967년 12월 26일자; "제156차로 영광스러운 조국, 조선민주주의인민공화국의 품으로 돌아오는 재일동포들을 태워 올 귀국재개 제1차선이 청진항을 떠났다. 경애하는 수령님의 육친적인 배려에 의하여 재일조선공민들의 귀국의 배길이 다시 열렸다." 「로동신문」 1971년 5월 12일자; "조국동포들의 열렬한 환영 속에 영광스러운 조국, 조선민주주의인민공화국에로 돌아오는 재일동포들을 태운 귀국재개 제1차선이 청진항에 와닿았다. 조국은 어버이수령님께서 다시 열어주신 배길을 따라 귀국한 동포들을 뜨겁게 포옹한다." 「로동신문」 1971년 5월 17일자

난 이후 1971년 5월 제156항차 선박이 다시 움직일 때까지 재일조선인 북송사업은 완전히 끊어져 있었다는 뜻이다. 3년 동안 북송사업이 끊겨졌다가 다시 이어졌다는 의미에서 북한당국은 제156항차 북송선을 가리켜 "귀국재개" 제1차선이라고 명명하기도 했다.[9]

북송사업이 멈추어 있던 휴지기 3년 동안 북한당국은 「로동신문」 지면을 활용하여 일본 정부를 향해 재일조선인 북송사업을 하루빨리 재개해야 한다고 목소리를 높이고 있었다. 1968년 1월 27일자 「로동신문」 기사 한 구절을 보면 그 무렵에 북한당국은 일본 정부의 조치로 소위 귀국사업이라는 명칭으로 부르던 재일조선인 북송을 중지하게 될 것 같다는 불안감에 얼마나 전전긍긍하고 있었는지 명확하게 드러난다고 하겠다.

> 일본 측은 이미 귀국을 신청한 1만 7천여 명에 대하여 그들 중 3천 명만을 1968년 7월까지 귀국시키며 그 때까지 귀국하지 못하는 사람들의 귀국신청은 무효로 한다는 도발적 제안을 내놓았다. 일본 측은 앞으로 새로 귀국을 신청하는 사람들에 대해서는 지난 8년간 귀국협정에 의하여 귀국자들이 받아오던 모

9 「로동신문」 1967년 12월 22일자, "155차 귀국선으로 니이가다에 도착한 조선민주주의인민공화국 적십자회 대표단 단장이 재일본 조선공민들의 귀국사업을 협조해 주고 있는 일본의 각계 인사들을 위해 초대연을 차렸다: 재일본 조선공민들의 조선민주주의인민공화국에로의 귀국 사업은 귀국 희망자가 있는 한 계속되여야 한다."

든 편의 제공을 없애고 오직 귀국자들이 일반 외국인과 같이 자기가 선택하는 화물선이나 려객선으로 출국하는 것을 원칙으로 한다고 주장하여 나섰다. 오늘 일본에서 일반 외국인으로서 합법적 권리를 보장받지 못하고 있으며 수십년 간 학대와 멸시 속에서 살아오던 재일본 조선공민들이 이사짐과 함께 온 가족으로 데리고 떠나는 마당에 그 보잘 것 없는 방조조차도 없이 과연 어떻게 귀국할 수 있겠는가. 사실상 이것은 귀국을 불가능하게 하거나 그렇지 않으면 지난 날 일제가 강제로 끌어갔던 재일본 조선공민들을 한 사람 한 사람씩 강제추방하려는 것이나 다름없는 것이다.[10]

이렇게 우여곡절을 겪었던 북송사업은 1971년 5월에 다시 시작하였다. 그 뒤 1984년 7월에 제187항차 북송선이 니가타 항구를 떠날 때까지 총 13년 2개월에 이르는 기간 동안 겨우 4,728명의 재일조선인이 북한으로 이주했다. 매달 평균 30명 정도 되는 수준에 머물렀다는 뜻이다. 1959년 12월 이후 1961년 12월까지 초기형 당사자가 매달 평균 2,990명 정도 북송선에 탑승했다고 앞서 언급했던 일이 있다. 1962년 1월 이후 1967년 12월까지 중기형 당사자는 매달 평균 190명 정도 북송선을 타

10 「로동신문」 1968년 1월 27일, "일본 반동당국은 귀국사업을 끝내 파괴한다면 력사와 인민의 준엄한 심판을 면치 못할 것이다. 조일 량국 인민들과 세계의 공정한 여론은 일본 사또 반동정부의 범죄적 책동을 그대로 두지 않을 것이다–조일적십자회담 우리 측 단장이 회담을 파탄시킨 일본 측을 규탄하여 성명 발표"

고 북한으로 이주했다는 사실도 기억해 둘 필요가 있다. 이런 수치와 비교해 보면 1971년 5월 북송사업을 재개한 이후 1984년 7월에 종료할 때까지 매달 평균 30명 정도 북송선에 탑승했으니 그 규모가 얼마나 줄어들었는지 명확하게 비교할 수 있다고 하겠다.

① 일본 내 잔류 가족 여부

심층면담 대상자 중에 북송사업 재개 이후 마지막 시기에 해당하는 1971년~1984년 당시에 북한으로 이주했던 사람과 이야기를 나누어 보았더니 가족이나 친족 단위로 많은 인원이 함께 일본을 떠나 북한으로 이주해 간 사례는 발견할 수 없었다. 당시에는 주로 젊은 남성이 혼자 떠나거나 나이 어린 동생을 데리고 북송선에 타는 형이나 누나, 언니, 오빠가 많았던 것 같다. 이들은 북송선에 탑승하던 당시 10대 후반의 청소년이었거나 갓 스물을 넘겼던 젊은 청년이라서 심층면담을 진행하던 시점을 기준으로 60대 초반 정도 연령대에 도달한 것으로 나타난다.

이 말은 곧 당시 북송선에 탄 사람들 뒤에는 가족이 일본에 남아 있었다는 것을 의미한다. 젊은이가 북송선에 탑승했던 만큼 일본에 남은 사람은 주로 그들의 부모였을 것이다. 나이 많은 부모가 북송선을 타고 떠난 뒤 젊은 자녀가 일본에 남는 경우도 당연히 있었다. 물론 아버지와 어머니, 자녀가 동시에 북송선에 타는 경우도 없었다는 뜻은 아니다.

심층면담 대상자 한 분은 어머니와 함께 형제 두 사람이 같이 북송선에 탈 예정이었고 아버지는 그냥 니가타 항구까지 바래다주고 돌아서려 했는데 갑자기 조총련에서 온 가족이 동시에 출발해도 된다고 허락해 주어 함께 떠나게 되었던 사연을 들려주었다. 원래 가족이 모두 북한으로 가겠다고 지역 조총련에 신청했지만 조직에서는 열성적으로 활동하던 아버지는 조금 더 남아서 일을 하고 가족을 먼저 보내라 해서 집이나 차량을 처분하지 않은 채 그대로 두고 니가타로 갔었다고 했다. 그런데 니가타로 가는 도중에 갑자기 아버지도 같이 떠나도 좋다고 조총련에서 연락을 했다는 것이다. 결과적으로 지역 조총련 조직에서 재산을 정리해서 북한으로 보낸다는 약속을 믿고 아버지까지 포함하여 가족 구성원이 모두 함께 북송선을 탔다고 했다.

재미있는 사실은 이 시기에 북송선을 탔다고 하는 심층면담 대상자를 성별로 구분해 보면 여성을 만난 일이 별로 없었다는 점이었다. 단순하게 여성 면담 대상자를 만나지 못했다는 사실을 근거로 당시 북송선에 탑승한 사람이 모두 남성이었다고 단언하는 것은 당연히 무리한 일이라고 생각한다. 아마도 나와 만난 심층면담 대상자가 모두 남성이라는 사실은 우연히 발생한 결과가 아닐까 생각한다. 어쨌거나 이들은 2021

년을 기준으로 60대 초반 연령에 이르는 집단으로 북송사업 제1세대 당사자 중에서는 가장 젊은 층이라고 할 수 있겠다.

그런데 이들과 면담을 진행하는 과정에서 당시 북송선에 탑승한 사람 중에 젊은 남성이 많았던 이유를 어느 정도 설명해 줄 수 있을 것 같다는 이야기가 흘러나왔다. 도대체 왜 그런 일이 발생했는지 물어보는 나에게 심층면담 대상자 몇 사람은 "기술집단과 오토바이 계주단" 때문이라고 쉽게 납득하기도 어려운 답변을 해주었다.

우선 기술집단이라는 용어는 조총련 산하의 청년조직인 조청(朝靑) 주도로[11] "정말 조직적으로" 젊은 청년을 선발하여 새로운 기술 교육을 받게 한 뒤 "그 사람과 기계를 같이 보내는" 사업을 추진했던 일에서 나온 말이라고 설명해 주었다. 조총련 산하 청년조직인 조청이 이런 일을 추진한 것은 당연히 북한당국의 요청이 있었기 때문이었다. 혹시나 기술집단에서 탈퇴하

---

11 조청(朝靑)이란 용어는 조총련 산하의 재일본조선청년동맹(在日本朝鮮靑年同盟)의 약자로 고등학생 이상의 재일동포 청년이 참여할 수 있는 조직이다. 북한당국이 북한 내 청소년을 대상으로 조선소년단과 청년동맹 조직에 의무적으로 가입하도록 규정해 놓은 방식을 따라 조총련도 재일조선인 청소년을 향해 재일본조선소년단과 재일본조선청년동맹에 가입할 것을 요구하고 있다. 조총련은 그 산하의 조선학교 내 소학교 3학년 이후 중학교 3학년 학생은 모두 재일본조선소년단에 가입하도록 정해 놓았다. 또한 조선학교 내 고등학교 재학생과 조선대학교 학생은 당연히 조청에 가입해야 한다고 규정을 만들어 적용한다고 알려져 있다. 야마다 분메이(山田文明), 『조선학교의 숨겨진 목적, 알려지지 않은 실태』, 東京: 북조선귀국자의 생명과 인권을 지키는 회, 2012.

고 싶어 하는 사람은 없었는지, 탈퇴하고 싶으면 어떻게 그런 의사를 표현해야 하는지 질문했을 때 심층면담 대상자는 "처음부터 그런 말은 할 수 없는" 상황이었다고 당시 조총련 조직 내 분위기를 전달하여 주었다. 조총련 조직에서 북송선을 타고 갈 기술집단의 일원으로 선발한 청년 중에서는 이미 가족이나 가까운 친척이 북한으로 이주해 간 사람이 많았기 때문에 만약 자신이 탈퇴한다고 말하면 먼저 그 곳에 간 사람이 어떤 불이익을 당할지 모르는 상황이라 마음대로 할 수 없었다고 했다. 한 마디로 "울며 겨자먹기" 신세로 조총련의 요구를 따라 북한으로 이주해 갈 수밖에 없었던 것이 당시 재일조선인 청년들 처지였다고 이들은 토로하였다.

한편 오토바이 계주단이라는 용어는 조총련에서 1972년 4월 15일 김일성의 60회 생일 행사에 참석하는 청년 200명을 보낸 일에서 유래했다고 한다. 조총련에서는 조직적으로 재일조선인 청년을 선발한 뒤 김일성 60회 생일에 맞추어 이들을 오토바이에 태운 채 북송선에 탑승하게 했다는 것이었다. 이 용어를 오토바이 단체귀국으로 표현한 사람도 있었다.

심층면담 대상자 몇몇 사람이 설명한 내용을 종합해 보면 광복 15주년에 해당하는 1960년부터 북한당국과 조총련 사이에는 김일성 생일 기념행사의 하나로 일본에 거주하는 청년들 몇 사람을 선발하여 계주단으로 보내는 일이 있었다고 한다. 이렇게 선발했던 계주단의 임무는 일본 내 조총련 청년들이 작성한 충성의 편지를 들고 평양까지 이어달리기를 해서 전달하는 것이었다.[12] 그런데 1967년 이후 3년 동안 중단했던 재일조선인 북송사업을 다시 재개한 이후 1972년 김일성 생일 60회를 앞두고 조총련에서 200명 규모의 청년을 선발하여 이들을 모두 오토바이에 태워 북송선에 탑승하게 했다는 것이다. 그 당시 몇 백 명에 달하는 청년들이 모두 오토바이에 타고 대열을 맞추어 북송선에 타고 내리는 장면은 정말 눈길을 끄는 모습이었다는 것이 심층면담 대상자가 들려준 내용이었다.[13] 10대 후반~20대

---

12 충성의 편지 이어달리기 행사는 김일성 시절부터 시작한 것으로 간혹 예외는 있지만 통상 북한 내 20개 지역에서 편지를 채택한 뒤 계주 형식으로 이어 달리면서 주요 행사 당일에 평양에 도착하여 전달식을 거행함으로써 마무리하는 방식으로 진행한다. "김정일 생일맞이 「충성의 편지 이어달리기」 개시," 통일부 북한정보포털 nkinfo.unikorea.go.kr

13 이 문제를 거론했던 심층면담 대상자 몇 사람은 모두 오토바이 계주단으로 표현했다는 점에서 예외가 없었다. 그런데 1972년 당시 「로동신문」 내용을 검색해 보면 이 행사를 거론하면서 모두 자전거행진단으로 명시해 놓았다는 점이 흥미롭다. 단순히 심층면담 대상자 몇 분이 개인적인 착각을 일으켰을 가능성이 있다는 점은 물론 부인할 수 없다. 그렇지만 별다른 인연이 얽혀 있지 않은 사람들 몇몇이 동시에 같은 내용으로 착각을 일으켜서 이런 내용으로 답변해 줄 가능성은 또 얼마나 되는지 확인해 볼 필요성이 없는지 의문이 생기는 지점이라 하겠다. "위대한 수령 김일성원수님께 드리는 재일동포들의 충성의 편지를 전달하기 위한 중앙대회가 도꾜에서 성대히 진행되었다," 「로동신문」 1979년 3월 9일자 1면; "위대한 수령 김일성원수님께 드리는 재일동포들의 충성의 편지를 전달하기 위한 중앙대회에서 한 총련중앙상임위원회 한덕수의장의 보고(요지)," 「로동신문」 1972년 3월 10일자 2면; "위대한 수령 김일성원수님께 드리는 재일동포들의 충성의 편지를 전달하기 위한 자전거행진단이 평양을 향하여 청진을 출발," 「로동신문」 1972년 4월

초반 연령의 청년을 중심으로 오토바이 계주단을 선발하여 "김일성 생일을 축하한다고 북한으로 보냈으니" 결국 이런 일은 "조총련이 인신공양을 한 것으로 봐야" 한다고 표현해 준 심층 면담 대상자도 있었다.

② 북송 당시 이삿짐

앞서 설명한 것처럼 후기형 북송 당사자의 경우에는 소위 기술집단이라는 명칭 아래 조총련을 통해 기술교육을 받은 젊은 청년이 앞으로 자신이 사용하게 될 기계와 함께 북송선에 탑승하는 사례가 많았다. 그런 만큼 이들의 이삿짐 규모와 내용물의 구성이 초기형이나 중기형 북송 당사자와 다른 양상을 드러내는 것은 오히려 당연한 결과라고 하겠다.

후기형 북송 당사자가 한참 북송선에 탑승하던 1971년~1984년 무렵 북한 내부에서 김일성이 소위 주체사상의 기치를 앞세워 그 아들인 김정일을 후계자로 내세우는 과정이 착착 진행 중이었다. 지금도 그렇지만 그 당시에 국제사회에서 사회주의와 공산주의를 내세우며 자신의 아들을 후계자로 낙점하는

3일자 1면; "위대한 수령 김일성원수님께 드리는 재일동포들의 충성의 편지를 전달하기 위한 자전거행진단이 평양에 도착,"「로동신문」1972년 4월 10일자 4면

정치 지도자는 없었기 때문에 북한에서도 김정일의 후계자 지명은 나름의 명분을 쌓는 일이 필요했다. 말하자면 김정일이 김일성의 아들이라서 후계자로 지명을 받은 것이 아니라 다른 사람이 넘볼 수 없는 능력의 소유자라는 점을 내세워 조선노동당 안팎의 반대 여론을 잠재울 필요성이 있었다는 뜻이다. 그런 만큼 김정일도 가시적 성과를 올림으로써 자신의 능력을 보여주고 싶은 욕심이 강했던 것 같다.

이와 같은 김정일의 욕구는 당시 북한보다 월등하게 앞서 나가는 일본의 기술 수준을 그대로 들여오고 싶어 하는 움직임으로 나타났던 것 같다. 한때 북한당국은 알루미늄 공장을 세우려 하니 필요한 기계와 인력을 보내라고 조총련을 압박했다. 조총련은 북한당국의 요구에 따라 지역 내 재일조선인 상공인을 대상으로 모금 운동을 벌여 기계를 구입하는 한편 능력이 뛰어난 젊은이를 선발하여 기술훈련을 받게 한 뒤 "기계와 사람을 함께" 북송선에 태워 보내는 방식으로 북한당국의 요구를 받아들였다.

북한당국과 조총련 사이에 이런 관계는 결국 기계와 함께 북송선에 탑승하는 젊은이들 이삿짐에 영향을 줄 수밖에 없었을 것이다. 이 기간에 북송선에 탑승하는 사람들 이삿짐 속에는 다양한 기계와 부품을 포장한 짐이 그 이전보다 확연히 늘어나는 양상이 나타났다. 시간이 지나면서 북한당국의 요구는 알루

미늄 공장 이외에도 다양한 영역으로 넓어져 갔다. 이와 아울러 기술인력을 환영하는 분위기 역시 예전보다 한층 뚜렷해져 갔다고 한다.

③ 지상낙원으로 간다는 꿈

1971년에 재일조선인 북송사업을 다시 시작한 무렵에는 먼저 북한으로 이주한 사람들이 그다지 풍요로운 생활수준을 누리지 못한다는 사실 정도는 일본 내 재일조선인 사회에 널리 알려져 있었다고 한다. 그런 만큼 북한당국과 조총련이 아무리 조직적으로 선전 선동활동에 집중한다 해도 이런저런 방식으로 일본에 남아 있는 인연을 찾아 조금이라도 도움을 받으려고 기를 쓰는 사람들의 처절한 몸부림을 막을 수 없었던 것 같다. 무엇보다도 먼저 북한으로 이주해 간 사람들이 보내달라고 하는 물건의 품목이 가장 적나라하게 북한주민의 생활수준을 드러내주는 지표였다고 심층면담 대상자 여러 사람이 지적해 주었다.

이런 이유 때문이었는지 심층면담에 참여한 후기형 북송 당사자 중에는 북한을 향해서 일본을 떠날 때 지상낙원으로 간다는 희망에 부풀어 있었다고 대답하는 사람은 사실상 찾아볼 수 없었다. 이들은 처음부터 "지상낙원으로 간다는 희망에 부풀어 북한으로 갔던 것이" 아니라고 했다. 그 무렵에 다양한 통로를 통해서 북한으로 가면 경제적으로 어려운 생활을 하게 될 것이라는 사실은 이미 알고 있었다고 말하는 사람이 많았다. 이렇게 일본에 있을 때보다 힘들게 살 것이 분명한 상황에서 이들이 굳이 북한으로 떠났던 이유는 과연 무엇인가?

그 당시에 후기형 북송 당사자가 북송선에 탑승한 뒤 북한으로 떠났던 이유가 무엇인지 질문했을 때 심층면담 대상자 답변은 대략 세 가지 정도로 정리할 수 있었다. 첫째, 조선학교와 조선대학교 교원을 통해 철저하게 교육을 받은 청소년 중에서 "조국의 건설에 이바지하겠다는 꿈에 부풀어" 친구들 만류를 뿌리치고 가족도 모르게 북송선에 탑승하는 경우가 있었다고 했다. 당시 북한당국은 만 16세 이상 청소년은 성인으로 인정해서 단독으로 북송선에 탑승하는 것을 받아들였다. 둘째, 아무리 노력해도 생활이 나아질 가능성이 없고 주변 사람의 차별에서 벗어나지 못하는 일본에서 한시바삐 벗어나는 방법을 찾아서 북한으로 떠났다는 사람도 있었다. 말하자면 희망을 찾아서 북한으로 이주한 것이 아니라 절망에서 벗어나려 일본을 떠났다고 하는 표현이 당시의 상황을 더 적합하게 말하는 것이라고 이들은 설명했다. 셋째, 북한으로 이주한 사람들 생활이 어렵다 하는 사실은 "어렴풋이 알고 있었지만" 그 실상을 제대로 파악하지 못하면서 누가 문제점을 지적한다고 해도 "귓등으로 흘려듣고 있었다" 하는 점을 또 하나의 이유로 들려주었다. 말하자면 그 당시 자신은 북한 실상을 나름대로 충분히 안다고 생각하면서 북송선 탑승을 결정했는데 돌이켜 보니 "제대로 아는 것은 하나도 없는" 상태였노라고 말하는 사람이 많았다. 자신은 "아직 철이 없어" 북한에 가면 어렵게 살아야 한다는 이야기를 다 들으면서도 그저 일본 생활을 기준으로 조금 더 어려운 상태 정도로 인식했을 뿐이며 "정말 그렇게 눈이 딱 감길 정도로 힘들게 사는 형편인지 짐작하지 못했다" 하는 것이 이들의 의견이었다.

2. 주변 인물 유형

이 부분에서는 재일조선인 북송사업과 관련한 두 번째 이념형에 해당하는 주변 인물 유형이 무엇인지 설명해 나갈 예정이다. 앞서 언급한 바 있지만 주변 인물 유형에 속하는 사람은 탈북 북송재일동포 당사자가 아니라고 해도 아주 오랜 세월에 걸쳐서 이들과 밀접한 관계를 맺어 왔기 때문에 이 책에서 하나의 이념형으로 분류해 볼 가치가 있다고 생각한다.

주변 인물 유형은 다시 이들이 북한으로 떠난 당사자와 어떤 관계를 맺고 또 그들의 생활에 어떻게 개입해 왔는지 그 역할에 따라 잔류 후원형과 북송 갈망형, 선전 선동형 등 세 개의 하위 유형으로 구분하였다. 이제 그 내용을 조금 더 설명하려 한다.

1) 잔류 후원형

주변 인물 유형 중에서도 잔류 후원형으로 분류해 놓은 사람은 주로 북송선을 타고 "동토의 땅" 북한으로 이주한 아들과 딸을 둔 부모였거나 형제자매를 보낸 언니와 오빠, 동생이었던 경우가 가장 많았다. 간혹 젊은 부부가 노년기 부모와 어린 자녀를 먼저 보낸 뒤 재산을 정리하고 곧 따라갈 예정이었지만 계획이 틀어져서 결국 일본에 남게 된 사례도 있었다. 말하자면 이 책에서 주변 인물 유형 중에서도 잔류 후원형으로 분류한 사람은 주로 가족 구성원의 일부는 북한으로 이주한 이후 일본에 남아 있었던 경우에 해당한다는 뜻이다.

비록 가족이 아니라 해도 북한으로 이주해 간 사람들 사정이 딱하다고 하니 간혹 친구나 동료, 이웃의 지인도 돈이나 물건을 보내 후원하는 일에 동참하는 경우를 드물지 않게 볼 수 있었다. 그렇지만 오랜 세월 동안 생필품을 보내고 돈을 모아 송금하는 등 그야말로 "인고의 세월을 보내는" 일은 대부분 가족관계로 얽힌 사람이라야 그나마 감당할 수 있었던 것으로 나타난다. 한 걸음 더 나아가 가족이라는 범주로 묶을 수 있다고 해도 떠난 사람과 남은 사람의 관계에 따라 얼마나 오랫동안, 얼마나 세심하게, 또 얼마나 자주 후원물품과 돈을 보내는 세월이 이어질 것인지 예측하는 작업이 가능해지는 특성도 나타났다.

부모가 일본에 남고 자녀가 북한으로 이주한 경우에 국한하여 살펴보면 일단 후원하는 기간이 무한정에 가까울 정도로 길게 이어지고 보내는 물품 품목도 다양하게 나타난다. 또한 정기적으로 돈을 보내면서 대학 진학이나 결혼 등 생애주기별 중대사가 있다고 할 때 그 일을 전후하여 큰 금액을 따로 지원하는 비율도 높았다.

특히 자녀를 북한에 보낸 뒤 일본에 잔류하는 어머니의 경우에는 일평생 절약하며 돈을 모으고 각종 물품을 준비해 두었다가 기회가 생길 때마다 전달하는 생활방식을 지속하며 마지막 숨을 거두었다 하는 경우가 많았다.[14] 상대적으로 부모가 북송선을 타고 북한으로 이주해 간 뒤 자녀가 남았거나 형제자매의 일부가 떠나고 나머지 일부가 일본에 잔류한 경우에는 대체로 후원의 기간도 짧지만 그 내용도 그렇게까지 촘촘하지 않은 경향성을 드러내 주었다.

---

14 간혹 이렇게 자신의 삶을 희생하면서 일생동안 북한에 사는 가족에게 모든 것을 보내는 방식으로 살아가던 어머니가 사망한 이후 가족 내부의 갈등이 폭발하는 사례도 많았다는 것이 심층면담 대상자들 의견이었다. 일본에 남은 가족은 "그동안 충분히 했으니 이제 돈이나 물건은 그만 보내겠다" 하는 반면 북한으로 이주한 사람은 이런 상황에서 좌절과 분노에 휩싸이게 된다는 것이었다.

2) 북송 갈망형

이 부분에서 주변 인물 유형의 하나인 북송 갈망형으로 분류하는 사람은 재일조선인 북송사업을 진행하는 기간에 간절히 일본을 떠나 북한으로 이주하기 위해 다양한 방식으로 시도했지만 이런저런 사유로 북송선에 타지 못해서 절망했던 사연을 지닌 사례로 한정하고자 한다. 사실 북송사업을 시작하던 초창기 무렵에는 온갖 사연을 가진 재일조선인 중에서 하루라도 빨리 북송선에 탑승해서 일본을 떠나는 것을 절절하게 소망하는 사람이 많았다. 이런 사람 중에 어찌어찌 니가타 항구까지 갔지만 북송선에 탑승할 수 없어 깊은 좌절감에 빠진 채 며칠 전 이삿짐을 싸서 떠나온 지역으로 다시 돌아가야 했던 경우도 있었다. 이 책에 등장하는 북송 갈망형은 바로 이런 유형에 해당하는 사람을 말한다.

테사 모리스-스즈키는 자신의 저서 『북한행 엑서더스: 그들은 왜 북송선을 타야만 했는가』 앞부분에서 신종해라는 이름의 13세 소녀가 1959년 12월 18일 니가타 항구에 도착하여 3일 뒤에 출항할 예정이던 제2항차 북송선을 타려 했으나 결국 그 배에는 탑승하지 못했다는 사연을 간략하게 소개해 놓았다.[15] 신종해는 어머니가 사망했고 아버지의 행방은 알 수 없지

---

15 테사 모리스-스즈키는 국제적십자위원회 ICRC 문서고에 오래 보관해

만 북한으로 갔다는 소문이 있는 상태에서 언니 부부의 집에서 더부살이를 하는 상태였다. 소녀의 형부는 미성년자인 처제를 북한으로 보내려고 니가타까지 따라나섰다. 결국 이 소녀는 부모와 동반하지 않은 상태에서 심지어 친척도 아니었던 이웃집 박씨 가족과 같이 북송선에 타려 시도했던 것이다. 이렇게 예외적 사례는 어떻게 처리해야 하는지 도쿄에 문의했던 일본 적십자사 직원은 출국에 필요한 서류를 발행해 주지 않았고 신종해는 제2항차 북송선에 타지 못했다. 신종해라는 소녀가 최종적으로 일본을 떠나서 북한으로 이주해 갔는지 여부는 확인하지 못했다고 테사 모리스-스즈키는 서술하였다.

국제적십자위원회 ICRC 문서고에서 발견한 사연의 주인공 신종해가 어디로 갔는지 마지막 행방은 확인할 수 없었다고 했던 테사 모리스-스즈키는 1961년 6월에 미성년 신분으로 일본인 어머니와 함께 북한으로 가려 했던 이양수는 직접 찾아 심층면담을 했다고 기록해 놓았다.[16] 테사 모리스-스즈키가 자신의 책에 서술한 것처럼 이양수는 어머니와 함께 일본 정부가 무상으로 지급해 준 기차표를 받아 니가타 항구까지 갔지만 두 사

온 편지를 보고 신종해의 사연을 발견했다고 자신의 책에(2008: 18-30, 427) 서술해 놓았다.

16 테사 모리스-스즈키, 『북한행 엑서더스: 그들은 왜 북송선을 타야만 했는가』 책과함께, 2008, 343-347쪽·356-370쪽.

람을 "약속의 땅" 북한으로 실어다 줄 북송선에 탑승할 수 없어 절망에 빠졌다. 당시 조총련 일꾼은 조선인 남편과 동행하는 일본인 아내는 받아들여도 조선인 남편을 동반하지 않은 일본인 여성이 아들과 함께 북한으로 이주하는 것은 허용하지 않는다는 북한당국의 방침을 내세워 이들이 일본을 떠날 수 없다는 사실을 알려주었다.

2020년 2월 27일, 이 책을 쓴 나는 60여 년 전에 북송선을 탈 수 없다는 현실에 분노하고 좌절했던 소년 이양수를 만나서 그 당시 어떤 심정이었는지 오랫동안 이야기를 들었다. 1961년 당시 북송선에 탑승해서 일본을 떠나지 못한다는 사실을 알았을 때 소년 이양수는 제일 먼저 자신이 떠난다고 거창하게 환송행사를 해 준 조선학교 친구들 얼굴이 떠올랐다고 했다. 자신이 마치 "천국의 문턱을 넘어가기라도 하는 것처럼" 부러운 눈길로 쳐다보던 학교 친구들 앞에 어떤 표정으로 나타나야 하는지 난감했던 기억을 떠올렸다.

이양수는 니가타에서 어머니와 자신이 살던 지역으로 돌아가는 것 자체가 난감한 일이었다고 말했다. 조총련은 단지 하루 묵을 숙소를 제공하는 수준이었고 일본 정부는 소년 이양수처럼 예외적인 상황에 맞추어 예전 거주지로 돌아가려는 사람에게 차편을 제공한다거나 이삿짐을 다시 실어 갈 비용을 부담해 줄 계획은 전혀 마련해 놓지 않았기 때문이었다.

당연히 북송선에 탑승해 일본을 떠나게 된다고 생각했는데 실패한 뒤 니가타를 떠나 살던 곳으로 돌아가는 여정이 소년 이양수에게 힘들고 어려운 길이었을 것이다. 그래도 나이가 어렸고 아직 상황을 제대로 파악하지 못했던 이양수는 약속의 땅을 찾아서 일본을 떠나겠다는 희망을 버리지 않았다고 했다. 그 뒤 계속 조선학교에서 학업을 지속했던 이양수는 6년 뒤 부모의 보호 없이 단독세대로 북송선을 탈 연령에 도달했을 때 어머니를 모시고 북한으로 이주해 가는 길을 한 번 더 시도했다가 진심으로 깊은 분노와 절망의 수렁으로 빠져들고 말았다.

당시 조총련에서는 "조국에 기여할 힘과 능력이 있는" 이양수가 혼자 북송선에 탑승하는 것에 기꺼이 찬성했다. 그렇지만 "피가 더러운" 일본인 어머니는 반드시 일본에 버리고 혼자 떠나야 한다는 조건을 내세우며 이양수에게 결단을 내릴 것을 촉구했다고 말했다. 이양수는 자신이 꽤 오랫동안 품었던 꿈을 버리고 "조국 땅 북한으로 돌아가려 하지 않겠다고 결단을 내렸던" 순간이 바로 이 시점이라고 했다. "어머니를 버리라고 강요하는 조국을 따를 필요는 없다" 하는 것이 이양수가 내린 결론이었다. 60년 가까이 지난 시점에서 그 당시 북송선을 타고 북한으로 가지 못했던 일을 후회하는지 내가 물었을 때 이양수는 복잡한 표정으로 "당연히 후회한다고 해야 하는데 그렇게 할 수 없는 처지라서 정말 슬프다" 하는 말을 남겼다.

신종해와 이양수처럼 절박하게 북송선을 타려 한 것은 아니지만 북한에 가지 못하고 일본에 남게 된 사람도 많았다. 결혼한 딸의 북송을 막으려고 이혼을 종용하는 아버지의 이야기, 나이 어린 막내 동생이 혼자 북송선에 타는 것을 만류하려고 니가타 항구에 따라가서 데려왔다는 언니와 오빠, 형과 누나의 활약상도 드물지 않게 나왔다. 이런 사례를 들려주는 사람들 모두 "그 당시 일이 틀어져서 북송선을 탈 수 없었던 것이 정말 안타깝고 억울했는데" 지금 와서 돌아보면 북한에 가지 못했던 것이 정말 천만다행이라고 뒤늦은 회한을 토로해 주었다.

재일조선인 북송사업과 관련한 정보는 아직 세상에 알려지지 않은 것이 얼마나 많은지 누구도 정확하게 파악할 수 없는 상황이다. 이제부터 1959년 이후 1984년에 이르는 25년 동안 재일조선인이 소위 북송사업과 관련하여 얼마나 다양한 사연을 겪었는지 찬찬히 자료를 모아 촘촘하게 분석해 봐야 할 것이다. 반드시 그렇게 해야 하는 이유는 이미 세월이 많이 지났고 이 분야의 연구 결과도 어느 정도 축적이 되어 있겠지만 지금도 여전히 수많은 신종해와 이양수의 사연이 세상에 알려지지 않은 채 재일조선인 북송사업이라는 팻말 아래 그대로 파묻혀 있는 경우가 여전히 많을 것이라고 생각하기 때문이다. 이들이 살면서 어떤 일을 겪었는지 그 한맺힌 이야기가 모두 역사의 뒤안길로 사라지기 전에 기록으로 남겨 둘 필요는 있다고 하겠다.

3) 선전 선동형

이 부분에서 주변 인물 유형의 하나인 선전 선동형으로 분류해 놓은 사람은 재일조선인 북송사업 진행 당시 조총련 조직원으로서 북한당국의 주장을 널리 알리고 또 사람들이 망설일 때 적극적으로 설득하여 마침내 북송선에 탑승하도록 유인하는 역할을 감당했던 집단을 말한다. 이미 세월이 오래 지난 일이고 또 지금은 과거를 돌아보며 결과론에 따라 말할 수밖에 없는 상황이지만 이들과 이야기를 나누다 보면 막상 자신이 북송선을 타지 않으면서도 주변의 다른 사람에게 북한으로 가도록 권유해서 떠나게 했다는 사실을 의식하며 나름 방어 논리를 찾으려 애쓰는 모습이 나타나는 것을 관찰할 수 있었다.

무엇보다 조총련의 선전 선동활동에 집중하면서 다른 사람을 북한으로 보내는 일을 앞장서 활동했어도 자신은 일본에 남아 상대적으로 편안하게 살았다는 것으로 보일지도 모른다는 사실에 몹시 신경을 쓰면서 왜 그렇게 될 수밖에 없었는지 당시 상황을 설명하는 일에 집중하는 경우가 많았다. 이렇게 자신의 과거 행적을 의식하면서 그 배경을 설명하려 애쓰는 모습은 공통적이어도 이들이 각자 활용하는 대응 논리의 구성은 다양하다는 점도 눈길을 끌었다. 선전 선동형으로 분류해 놓은 사람 중에서는 우선 그 시절 자신의 모습을 반성하면서 깊이 후회하는 태도를 보여주는 경우가 있었다. 이들은 과거 자신의 활동으로 북송선을 탔던 사람이 북한에 가서 죽었다는 소식을 들었을 때 가장 힘들었다고 괴로운 심경을 토로하기도 했다. 그런가 하면 "지금 와서 돌이켜 볼 때 아쉬운 부분이 없는 것은 아니라 해도" 당시 상황을 돌아볼 때 자신도 어쩔 수 없었다고 주장하는 사람도 있었다. 그 당시 자신은 정말 북한이 지상낙원이라고 믿었고 떠나는 사람이 모두 천국의 문턱을 넘는 것으로 확신했기 때문에 조총련 방침에 따라 선전 선동활동에 적극적인 참여를 할 수 있었다는 것이었다. 무엇보다 자신은 북송선에 탑승하는 사람을 부러워하면서 그들을 보내는 일을 헌신하는 모습에 스스로 만족했으며 "정말 행복한 심정이었다" 하는 점을 강조하였다.

간혹 북한이 지상낙원 정도가 아니라는 사실은 알고 있었지만 그래도 자신의 설득으로 북한으로 떠나는 사람은 누구라도 "조국의 발전에 이바지할 기회를 갖는 것이라고 생각했고 무엇보다 자신도 곧 떠나려 했기 때문에" 적극적으로 조총련의 선전 선동활동에 참여했다는 답변도 나왔다. 아예 한 걸음 더 나아가 재일조선인 북송사업 자체가 잘못이었다고 생각해야 할 이유는 전혀 없다는 주장을 설파하는 사람도 있었다. "당시 북조선에서 지상낙원으로 오라 하면서 사람을 속여 북송선에 타게 한 것은 잘못이었지만" 그 부분을 제외하면 자신이 조총련의 일원으로 선전 선동활동을 한 일로 인해 비난을 받아야 할 이유가 전혀 없다는 것이 이들의 주장이었다.

이 부분에서 선전 선동형으로 분류해 놓은 사람들 중에는 재일조선인 북송사업 당시 조총련에서 운영하는 조선학교와 조선대학교에 재직하는 교원이 많았다. 이 말은 곧 당시 조총련에서 조선학교와 조선대학교 교원을 조직적으로 동원하여 수업시간에 학생들 대상으로 "하루라도 빨리 조국에 돌아가 전후 복구와 건설에 앞장서야" 한다고 설득하면서 북송 지원서에 서명하도록 유도하는 역할을 맡겼다는 것을 의미한다.

실제로 선전 선동형으로 분류해 둔 심층면담 대상자 중에서 한참 재일조선인 북송사업을 진행하던 무렵 조선학교나 조선대학교 교원으로 근무하면서 자신의 제자 중에서 집안형편은 어렵지만 똑똑하고 우수한 학생을 우선적으로 선발해서 북한으로 보냈던 일을 몹시 후회하는 사람이 몇몇 있었다. 이들의 설명을 들으면 재일조선인 북송사업 초창기에는 조선학교 교원들 모두 북한에 대한 환상을 품은 채 제자들을 북한으로 보내는 일에 열성을 다 쏟아부었다 했다. 그런데 점차 시간이 지나며 북한 내 상황이 그동안 꿈꾸던 내용과 달리 너무 열악하다는 소식을 듣고 반신반의했고 어느 순간 그렇게 아끼던 제자가 목숨을 잃었다는 말을 들으면 그 일을 계기로 아예 조총련 조직을 떠나는 사람도 많았다는 것이 이들의 설명이었다.

그 당시 자신의 모습을 돌아볼 때 조총련 지침이나 북한당국이 발행하는 잡지를 통해 "완전히 마인드 컨트롤을 당하고 있었던" 상태라고 표현한 사람도 있었다. 생각해 보면 6·25전쟁이 끝난 뒤 그리 오래 지나지 않은 시점이라 남북한이 모두 경제적 형편이 어려웠을 것이 명확한데 당시 자신의 눈에 남쪽의 한국은 "가난 때문에 되게 혼란하고 무서운" 곳으로 보였던 반면 북한은 오직 "전후 복구에 떨쳐나서서 모두들 건설에 힘쓰는" 지역이라는 이미지로 다가왔다는 것이었다. 그래서 일본에서 좋은 직장에 들어가거나 사회적으로 인정을 받는 위치에 갈 수 없어 좌절하는 제자를 북한에 가라고 하는 일 자체가 "(남과 북을 모두 포함하는) 우리나라에 이바지하는 길로 생각했기 때문에" 선전 선동활동을 할 때 양심적으로 아무런 거리낌이 없었다고 했다. 그런 의미에서 당시에 자신은 "일종의 중독 현상으로 심한 열병을 앓고 있는" 상태였다고 표현하기도 했다.

심층면담 대상자 한 분은 마치 꿈을 꾸는 것 같은 표정으로 그 당시에 자신은 정말 행복한 심정으로 재일조선인 북송사업에 참여했고 늘 "우리를 받아준 김일성 원수 만세" 하는 마음으로 선전 선동활동을 했노라고 말해 주었다. 이 사람은 지금 돌이켜 봐도 재일조선인 북송사업 자체에는 문제가 없다고 강력하게 주장했었다. 북한이 지상낙원으로 속여서 자신에게 기만적으로 선전 선동활동을 하게 만들었으니 결과적으로 북송선

탄 사람을 속여야 했던 부분만 제외하면 "일본에서 곤란하게 살아야 하는 우리 동포여, 돌아오라" 하며 따뜻하게 손을 내밀어 주는 일에 부정적으로 느껴야 할 일이 뭐가 있느냐 하며 강력하게 반발하기도 했다.

北朝鮮の闇に消えた
若き科学者と日本人妻

曺　浩平・小池秀子書簡集
(第2版)

発行；曺　浩平・小池秀子書簡集編纂委員会

조호평은 1962년 일본인 처 히데코와 함께 북한으로 이주했다. 북한에 가면 모스크바 대학에 유학을 보내주고 학문 활동을 보장해 준다는 조총련의 제의를 받고 북송선을 탔다고 한다. 조호평 부부는 1967년까지 일본에 남은 가족에게 40통 정도 편지를 보냈는데 그 이후 소식이 끊어졌다. 사진에 나오는 서간집은 여동생 조행이 발행하였다.

Part Ⅲ

일본 내 조센징의
사회적 위치

이 부분에서는 탈북 북송재일동포가 북송선에 타기 전, 일본에 살면서 조센징이라는 호칭으로 살아가던 시절의 이야기를 중심으로 어떻게 이들을 북한으로 보내는 북송사업이라는 결과물이 세상에 나오게 된 것인지 전반적인 배경을 정리해 볼 예정이다. 이런 이야기를 시작하기 전에 먼저 이 부분에서 다루려하는 남북한과 일본의 관계, 일본 내 재일조선인의 사회경제적 위치 관련 내용이 2021년 오늘의 상황을 거론하려는 일이 아니라는 점을 분명히 지적하고 넘어가야 할 것이다. 이 책의 주인공인 북송재일동포 집단이 그 당시 일본에서 조센징이라는 차별적 호칭을 받아들일 수밖에 없는 상황에서 누구도 환영하지 않는 존재로 살아가야 했던 몇십 년 전의 일을 이야기하고 있다는 점을 기억해 두어야 한다. 이런 점을 기억해 두지 않으면 지금 이 부분에서 말하는 내용이 어떤 의미를 지니는지 제대로 해석하는 것이 불가능하다는 뜻이다.

당시 일본에서 재일조선인은 그야말로 가난하면서도 험난한 환경에서 살아가는 집단의 대명사로 취급을 당했다. 재일조선인이 밀집해서 사는 거리를 범죄의 온상으로 취급하는 것은 물론이고 이들이 주로 먹는 음식은 그 냄새조차 불결함을 상징하는 혐오품으로 취급하는 것이 일본 전역의 보편적인 분위기로 나타난다. 개인 차원에서 재일조선인이 경제적으로 가난했던 것은 물론이고 이들이 조국으로 인식하는 남북한이 모두 일본과 비교도 할 수 없을 정도로 취약한 경제력 수준에서 헤어나지 못하고 있는 상황이었다. 결국 그 당시, 일본에서 재일조선인으로 살아간다는 것은 특별히 예외적인 몇몇 사례를 제외하면 대부분 식민지 지역 출신이라는 주변 사람의 냉대 속에서 일평생 경제적으로 힘들고 어려운 생활을 고스란히 이어가야 한다는 의미였다고 하겠다.

물론 그 무렵 일본 전역에서 재일조선인의 처지가 오늘날과 비교할 수 없을 정도로 곤란하다는 것이 단순히 경제력 차원의 문제로 한정할 수 없는 일이기는 했다. 그러나 재일조선인이 북송선에 탑승할 것을 결정하는 과정을 되짚어 보면 일본에서 산다면 평생 가난을 벗어나지 못할지도 모른다는 두려움이 아주 중요한 요인으로 작용했을 것이라고 심층면담 대상자 몇 사람이 설명해 주었다. 무엇보다 자신은 평생 어렵게 산다고 해도 자녀들 역시 가난의 굴레에서 벗어나지 못할지도 모른다는 두려움이 커서 재일조선인이 하루라도 빨리 북송선을 타고 북한으로 이주하는 것이 낫겠다고 결론을 내리도록 몰아넣는 역할을 했으리라고 심층면담 대상자 몇 사람이 주장하였다. 당시 재일조선인 집단 내에서는 비록 북한이 "반쪽으로 나누어진 조국이지만 6·25 전쟁 정전 이후 모든 인민이 복구건설에 떨쳐나서서" 희망에 찬 지역이라는 이미지가 강했다는 것이었다.

사실 이런 배경을 제대로 기억하지 않으면 독자들은 이 책속에 나오는 재일조선인 북송사업 이야기가 어떤 맥락에서 진행이 되는지 이해하기 어려울 것이라고 생각한다. 그런 의미에서 당시 배경을 염두에 둔 채 1945년 제2차 세계대전이 끝나는 시점부터 일본 정부와 북한당국이 북송사업을 진행하던 1959년~1984년 기간 동안 재일조선인 집단이 일본에서 어떻게 생활했으며 또 이들이 어떤 과정을 거쳐서 북송선을 타겠다고 결정을 했는지, 당시 재일조선인 북송 배경에는 어떤 일이 일어나고 있었는지 관련 내용을 되짚어 볼 필요가 있다고 하겠다.

1. 재일조선인 북송사업의 비인도적 속성

일본에서는 지금도 여전히 재일조선인 북송사업을 "귀환사업" 및 "귀국사업" 같은 명칭으로 호명하는 것으로 나타난다. 그런가 하면 "귀국운동, 지상낙원 운동, 낙원으로 돌아가는 귀환운동" 등 재일조선인 북송사업을 우호적으로 평가하는 의미를 내포하는 명칭으로 부르는 경우도 드물지 않게 나타난다. 단

순히 언론매체 차원이 아니라 주요 학문 분야 역시 이런 흐름에서 벗어나지 않는다.[1]

이런 명칭을 사용하는 배경을 살펴보면 제2차 세계대전 종료 이후 일본 정부가 자국에 남아 있던 재일조선인을 "조국" 북한 땅으로 "귀국하는 길을 열어 준 것은" 어디까지나 인도주의적 차원의 조치였다는 의미를 드러내려고 하는 것 같다. 그 무렵에 일본 정부가 재일조선인을 위해서 순수한 인도주의 차원에서 이들이 자신의 고향으로 돌아가는 통로를 열어준 것이라고 강조하려 했다는 느낌을 지울 수 없다는 뜻이다.

과연 그런가? 1959년 12월에 시작했던 재일조선인 북송사업은 정말 당시의 일본 정부가 이들의 삶을 위해서 만들어 낸 인도주의적 조치의 결과물이라고 평가할 수 있는 것인가?

앞서 몇 차례 언급한 것처럼 재일조선인 북송사업은 1959년 12월 14일, 일본 니가타 항구에서 또보리스크호와 크리리온호

---

1 재일조선인 북송사업 관련 자료를 검색해 보면 한국 내 연구자들 역시 귀국이나 귀환 같은 용어를 사용하는 현상이 상당히 많은 것을 볼 수 있다. 김미영, 『재일한국인 귀국사업에 대한 이승만 정부의 대일(對日) 외교정책 분석』, 일본학연구 63, 2021, 99~120; 박인원, 『고향에 대한 탐색: 안나 킴의 대귀향에 그려진 재일조선인 귀국사업』 카프카연구 41, 2019, 133~151쪽; 이영미·김종회, 『재일조선인 귀국(歸國)문제를 기억하는 문화적 방식: 북한의 경우를 중심으로』 현대소설연구 64, 2016, 71~104쪽; 임영언·명동호, 『재일동포 모국귀환 고찰 : 해방 전후 모국귀환과 북송 귀환을 중심으로』, 인문사회과학연구 22(1), 2021, 85~112쪽.

라는 두 척의 소련 배가 975명의 재일조선인을 태운 채 북한의 청진항을 향해서 출항하면서 공식적으로 시작하였다. 당시 일본 내부에서는 재일조선인 북송사업 관련 업무 담당자는 물론이고 공산당을 필두로 주요 언론과 지식인 집단까지 가세하여 이 일은 인도주의적 활동이라고 인식하는 분위기가 팽배해 있었다. 무엇보다 일본적십자사와 북한의 조선적십자사가 국제적십자위원회 중재로 "인도주의" 명분을 내세운 채 진행하는 사업이었기 때문에 이런 평가를 내리는 것이 적어도 겉으로 볼 때 어느 정도 타당성을 지니는 일로 평가할 수 있을지도 모른다.

그렇지만 1959년 12월 14일에 또보리스크호와 크리리온호라는 두 척의 소련 배가 니가타 항구를 출항하는 배경에 북한과 일본의 적십자사 담당자와 국제적십자위원회 관계자가 참여했던 길고 긴 협상 과정이 있었다. 문제는 국제적십자위원회에서 참여했던 협상에서 논의한 내용 자체가 당시 일본에 거주하던 재일조선인 관점에서 볼 때 이들이 "조국으로 귀국하는 길을 열어준" 인도주의적 조치로 평가할 수 없다는 점이라 하겠다.[2]

---

2 국제적십사위원회에서 오랜 세월 봉인 상태로 묶어 둔 재일조선인 북송사업 관련 문서를 직접 읽으며 분석한 테사 모리스–스즈키는 당시 일본 정부가 재일조선인 문제에 인도주의적 관심이 전혀 없다는 사실을 스스로 명확하게 밝혔다는 사실을 구체적으로 서술해 놓았다. 테싸 모리스–스즈키 지음, 황정아 옮김, 『북송사업과 탈냉전기 인권정치』, 창작과 비평 33(3), 2005, 97~113쪽.

이 문제는 오늘날까지 당시 북송선에 탑승한 채 북한으로 이주한 당사자를 포함하여 그 후손이나 일본에 남아 경제적인 후원을 한 사람에게도 여전히 영향을 미친다는 점을 연결해서 기억해야 한다. 이렇게 수많은 사람에게 지금까지도 여전히 피해를 남기고 있는 점은 누구도 부인할 수 없는 사실이기 때문에 결코 가볍게 넘어갈 사안이 아니라고 하겠다.

북송사업 착수를 앞두고 관련 협상에 참여했던 북한과 일본의 적십자사 담당자와 국제적십자위원회의 관계자 누구도 1959년 12월에 재일조선인이 일본을 떠나기 시작한 뒤 무려 25년이 지난 1984년이라는 시점에 이를 때까지 이런저런 이유를 들어 북송사업을 중단하지 않고 지속했다는 사실 자체가 이 일을 얼마나 비인도적 처사로 평가해야 하는지 극명하게 보여 준다고 생각한다.

사실 재일조선인 북송사업을 시작한 초창기인 1960년 정도 시점이었다면 이 일을 인도주의 정책의 결과로 주장하는 논리를 어느 정도 이해할 수 있을지도 모른다. 그러나 무려 60년이 지난 2021년 오늘의 시점에서도 재일조선인 북송사업을 평가하면서 지금도 여전히 이 일이 일본 정부의 인도주의 정신의 실현이었다고 주장하는 것은 절대로 인정할 수 없는 일이라고 생각한다.

재일조선인 북송사업을 시작한 뒤 2~3년 정도 지난 시점이었던 1960년대 초반만 해도 벌써 북한으로 이주한 사람들이 대부분 "지상낙원에 사는" 수준과 거리가 먼 상태에서 살아간다는 사실 정도는 일본 내에서 비밀이 아니었다. 한 걸음 더 나아가 시간이 갈수록 북한으로 이주한 재일조선인의 처지가 점점 더 곤란해지고 있다는 점은 누구도 부인할 수 없을 만큼 명확하게 알려진 사실이었다. 전반적인 상황이 이렇게 악화일로 상태에 빠져드는 와중에도 일본 내 재일조선인 북송사업을 추진한 주요 관계자 중에서 이 사업을 하루라도 빨리 중단해야 한다고 목소리를 높이는 움직임은 그다지 선명하게 드러나지 않았다. 이런 상황을 감안할 때 오늘날까지 재일조선인 북송사업을 일본 정부가 인도주의적인 조치를 취한 결과로 평가한다는 것은 도저히 용납할 수 없는 일이라 하겠다.

이 책을 쓰면서 필자인 내가 "재일조선인 귀국사업, 귀환사업" 같은 용어를 쓰지 않은 이유는 바로 이 사실에 기원한다는 점을 밝혀 두고 싶다.[3] 그 당시 재일조선인은 순수하게 자발적인 의사에 따라 조국으로 귀국했던 것이 아니라 당사자도 모르는 사이에 "지옥으로 끌어들인" 누군가의 결정에 따라 북한의

---

3 2019년 12월 14일 사단법인 물망초 주최로 일본에서 개최한 재일조선인 북송사업 60주년 기념 세미나에 토론자로 참석했던 가토 히로시 북조선난민구원기금 대표 역시 귀국이나 귀환이라는 용어 사용은 마치 이들을 마땅히 돌아가야 할 곳으로 돌려보냈던 일이라도 되는 것으로 해석할 가능성이 있고 또 도덕적으로 정당한 의미를 지닌 것으로 시사할 가능성이 있다는 점을 지적하였다.

실정을 구체적으로 파악하지도 못한 상태로 "속임수 송환을 당한" 것이라고 생각한다. 심층면담 대상자 몇 분은 내가 재일조선인 북송사업의 의미를 평가해 달라고 요청했을 때 "그 일은 일본과 북한이 조총련을 앞세워 수많은 사람을 속여서 대규모로 납치해 갔던" 희대의 범죄사건이었다고 단호하게 선언하기도 했다.

바로 이런 이유에서 이 책을 쓰는 동안 필자인 나는 재일조선인이 집으로 돌아갔다는 의미를 시사하는 귀환이나 귀국이라는 용어를 의도적으로 사용하지 않았다. 그보다는 누군가 나서서 "(속임수를 쓴 채 자신을) 북한으로 보내버렸다" 하는 외침을 나지막하게, 간헐적으로 뱉어내는[4] 심층면담 대상자의 목소리를 존중해야 할 것 같다는 의무감에서 재일조선인 북송사업이라는 표현을 이 책에서 사용하는 일에 집중하고 있었다.[5]

---

4 심층면담 대상자를 만나 이야기를 나누면서 나는 재일조선인 북송사업이 누구의 잘못인지 반복해서 질문해 보았다. 이 과정에서 몇몇 사람은 마치 누가 듣기라도 하면 자신이 피해를 입을 것처럼 주변을 돌아보면서 목소리를 낮추고 조용히 속삭이는 모습으로 대답한다는 유독 눈길을 끌었다. 흥미로운 사실은 한국과 일본에 거주하는 면담 대상자의 반응을 집단적 차원에서 비교해 볼 때 명확하게 서로 다른 양상을 드러낸다는 점이었다. 대체로 일본에 거주하는 사람이 이런 질문을 들었을 때 답변을 하면서 두려움을 표현하는 사람이 더 많았는데 이들은 조총련의 보복이 얼마나 두려운지 구체적으로 호소하고 있었다.

5 당시 재일조선인이 온전히 자발적인 의사로 북송선에 탑승했다고 보는 것이 옳은지, 아니면 이들을 속임수의 피해자로 봐야 하는지 여부는 여전히 더 치밀하게 확인하는 작업이 필요한 부분이라고 생각한다. 그러나

2. 연합군최고사령관총사령부 SCAP 정책

1945년 8월 15일, 제2차 세계대전에서 패전국이 된 일본에는 대략 200만 명 규모의 재일조선인이 거주하고 있었던 것으로 알려진다. 당시 패전국 일본은 연합군최고사령관총사령부General Headquarters of Supreme Commander of the Allied Powers, GHQ/SCAP[6] 통치 아래 놓이게 되었다. 200만 명 규모에 달하는 재일조선인의 귀환 업무도 SCAP 관점에서 볼 때 그저 신속하게 처리해야 할 수많은 업무 중의 하나였을 뿐이다. 그 무렵, SCAP가 가장 관심을 기울였던 사안은 점령지인 일본을 민주주의 국가로 재건하여 소련을 중심으로 국제적 연대감을 표현하는 공산주의 진영에 맞서는 자유주의 최전선 지역으로 굳건하게 세워놓으려고 했을 뿐이었다.

이런 상황에서 점령지 일본을 통치해야 하는 SCAP의 관점에서 볼 때 재일조선인은 존재감이 그다지 크지 않아 "그 목소리에 귀를 기울일 필요가 없는" 소수자 집단에 불과했을 뿐이

이 책에서는 기본적으로 과거 북송선에 탑승했던 당사자가 오늘날 자신의 행적을 스스로 평가하는 의견에 가장 큰 무게를 두고 싶었다. 그런 의미에서 이들의 의견을 존중하여 재일조선인 북송사업이라는 표현을 사용하고 있다는 뜻을 이 부분에서 밝혀 놓은 것이다.

6 일반적으로 제2차 세계대전 종전 이후 패전국 일본을 통치하는 책임을 맡은 연합군최고사령관총사령부를 GHQ나 SCAP로 축약해서 지칭하는 경우가 많다. 이 책에서는 SCAP라는 용어를 사용하고 있다.

다. 당시에는 아직도 연합군과 일본 정부가 샌프란시스코 강화 조약을 체결하기 전이라서 국제법적 기준을 적용한다면 재일조선인은 여전히 일본국적을 유지하는 것으로 판단해야 하는 상황이었다. 그렇지만 SCAP는 이렇게 판단을 내리지 않았다.[7] 오히려 재일조선인을 "해방민족으로 규정하면서도" 필요한 경우에는 "적국의 국민으로 취급해도 된다" 하는 애매모호한 개념을 적용하는[8] 만행을 저질렀던 것이다.

물론 일본 정부는 SCAP 결정을 단순히 수용하는 차원을 넘어서 적극적으로 악용하는 행태를 보였다. 일본 정부는 SCAP 결정을 실행함으로써 재일조선인의 생활보조비 지급 규모를 대폭 줄일 수 있다는 사실에 집착했을 뿐, 그 일로 인해서 수많은 사람의 인생에 어떤 문제가 발생할 것인가 하는 사안에는 별다른 관심을 기울이지 않았다.[9]

---

7 바로 이 점에서 SCAP 역시 재일조선인 북송사업 관련 책임을 면할 수 없다고 생각한다. 만약 당시 이런 일이 극동아시아 지역에 위치한 한국과 일본 관계에서 발생한 것이 아니라 유럽의 어느 지역이었다면 SCAP에서 이렇게 상호 모순적이면서도 애매모호한 개념을 적용함으로써 훗날 10만 명에 가까운 재일조선인으로 하여금 충분한 선택권을 보장하지도 않고 필요한 정보도 제대로 제공하지 않은 상태에서 무작정 북송선에 타도록 방치하는 일을 그냥 두고 보았을 것인가 하는 의문이 사라지지 않는다.

8 오가타 요시히로, 『재일조선인에 대한 한국 정부의 인식』, 디아스포라연구 2(1), 2008, 111~129쪽.

9 반면 재일조선인 북송사업에 착수하면서 일본 정부는 이들이 그동안 축적해 온 개인재산을 모두 북한으로 반출할 수 있도록 허용했을 뿐 아니라 거주지역에서 북송선이 출항하는 니가타 항구까지 가는데 필요한 편

어쨌든 1945년 8월 15일, 제2차 세계대전이 끝난 뒤 SCAP 는 재일조선인을 수송해 갈 귀환 선박을 마련해서 일본 내 주요 항구에 배치해 놓고 이들이 돌아가도록 장려하였다. 문제는 SCAP가 패전국 일본의 경제를 보호한다는 명목으로 귀환하는 재일조선인 1인당 소지하고 떠날 수 있는 금액과 물품의 한도를 엄격하게 제한한 채 그 초과분은 몰수하는 대신 수령증이라는 명칭의 "종이 쪼가리 한 장을 써주는" 정책을 적용하고 있었다는 점이다. SCAP는 그 당시 재일조선인이 일본을 떠날 때 가져갈 수 있는 돈은 1인당 최대 1천 엔으로 정하고 돌아가는 배 안에서 쓰는 각종 비용까지도 이렇게 공식적으로 반출할 수 있는 돈의 범위 안에서 지불해야 한다는 "잔혹한 규정을" 적용하였다.[10] 한편 이들이 들고 갈 수 있는 물건의 무게도 250파운드 한도로 정해 놓고 이 기준을 엄격하게 적용하기도 했다.[11]

도 여행경비와 아울러 이삿짐 탁송 비용도 전부 부담함으로써 적극적으로 협조자 역할을 수행했던 것으로 나타난다.

10 최영호, 『조선인 노무자 미수금 문제와 조련의 예탁활동』, 동북아역사논총 45, 2014, 111~146쪽.

11 당시 SCAP가 이런 규정을 정해 놓으면서 패전국 일본의 경제를 보호하려 했던 이유가 무엇인지 간략하고 선명하게 설명하는 것은 사실상 불가능한 일이다. 다만 당시 일본인 중에서는 SCAP 앞으로 편지를 보내 재일조선인은 각종 사회문제를 일으키는 집단으로 정치적 불안의 원인이며 식량난의 주범이라고 주장하는 사람이 많았고 SCAP는 이들의 의견을 적극적으로 수용하여 패전국이었던 일본의 복구에 유리한 방향으로 정책을 추진했었다는 점은 염두에 둘 필요가 있다고 생각한다. 정용욱, 『일본인의 '전후'와 재일조선인관: 미군 점령당국에 보낸 편지들에 나타난 일본 사회의 여론』, 일본비평 3, 2010, 264~301쪽.

3. 재일조선인 "송환" 작업에 몰두한 일본

재일조선인의 관점에서 볼 때 제2차 세계대전에서 일본이 패전했다는 것은 곧 조국이 해방을 맞이했다 하는 뜻이었다. 이들은 곧 해방이 된 조국으로 돌아가는 길을 찾아 나섰다. 그 무렵 일본 내 주요 항구마다 배를 타려는 재일조선인이 몰려들어도 막상 이들을 수송할 귀환 선박은 턱없이 부족해서 순서를 기다리는 사람이 많았다고 했다.

그러나 1946년에 들어서면서 귀환 희망자 규모가 급격하게 줄어들었다. SCAP가 규정해 놓은 한도를 지키면서 살림을 정리해서 귀국한다는 것은 사실상 재일조선인이 일본에 사는 동안 어렵게 모은 재산을 완전히 포기하고 떠나야 한다는 뜻이었다. 그 당시에는 북한도 마찬가지였지만 한국은 지구상에서 가장 가난한 국가 가운데 하나였다.[12] 해마다 봄철이 되면 온 국민이 춘궁기에 시달린다는 기사가 신문 지면을 장식하는 일이 낯설지 않은 곳이었다.

---

12 제2차 세계대전 직후 한국의 1인당 국민총소득(GNI) 수준은 최하위를 기록하고 있었다. 한국의 1인당 국민총소득(GNI) 변화 과정을 살펴보면 6·25 전쟁 정전 협정을 체결한 1953년에는 67달러에 불과했다. 그 뒤 10년이 지난 1963년에 100달러를 넘었고 1977년에 1,000달러를 기록한다. 1995년에 이르러야 비로소 10,000달러 수준에 도달했다.

조센징, 째포, 탈북민
탈북 북송재일동포의 세 토막 인생살이

이런 상황에서 SCAP 규정을 지키면서 한국으로 돌아가야 한다는 것은 재일조선인의 입장에서 볼 때 사실상 맨손으로 일본을 떠나야 한다는 뜻이었다. 결국 재일조선인이 한국으로 귀국한다는 것은 당장 먹고살 길이 막막한데 따로 생계를 유지할 방도를 찾을 길도 막막하다는 의미였다고 하겠다. 심지어 해방 직후에 누구보다도 앞장서서 먼저 귀국했다가 한국 내 경제적인 사정이 너무 어렵고 실업률은 높아서 도저히 살 수 없다고 판단한 뒤 다시 일본으로 밀항하는 사람도 꽤 많았다.[13] 일본 정부는 재일조선인이 이렇게 밀항해서 들어오는 족족 잡아들여서 수용소에 감금하는 일이 이어졌다. 당연히 이런 소식은 입소문을 통해 재일조선인 사이에 빠르게 퍼져나갔고 한국으로 돌아가겠다는 희망자의 규모는 급속하게 줄어들었다. 1946년 12월에 이르러 SCAP도 관련 업무를 공식적으로 종료했다.[14]

13 조선인의 일본 밀항이 1945년 해방 직후에만 나타나는 현상은 아니었다. 일제 강점기 당시에도 밀항은 드물지 않았다. 그런가 하면 1970년 이후 경상도 일원과 제주도에서 밀항하는 사례가 나타난다. 그러나 해방 직후 귀국했던 재일조선인이 얼마 지나지 않은 시점에 다시 일본으로 밀항하는 현상은 이들의 관점에서 당시 한국의 현실이 얼마나 절망적이었는지 보여주는 지표라고 하겠다. 조경희, 『불완전한 영토: '밀항'하는 일상-해방 이후 70년대까지 제주인들의 일본 밀항』, 사회와 역사 106, 2015, 39~75쪽; 이승희, 『조선인의 일본 '밀항'에 대한 일제 경찰의 대응 양상』, 다문화콘텐츠연구 13, 2012, 337~361쪽; 이연식, 『해방 직후 남한 귀환자의 해외 재이주 현상에 관한 연구: 만주 '재이민'과 일본 '재밀항' 실태의 원인과 전개과정을 중심으로 1946-1947』, 한일민족문제연구 34, 2018, 77~123쪽.

돌이켜 보면 1945년 제2차 세계대전이 끝난 이후 일본 정부는 자국 내에 거주하고 있는 식민지 출신 이주민이었던 재일조선인을 잠재적 범죄자 집단으로 취급하고 온갖 종류의 사회 문제의 원인으로 지목하면서 "그들을 데려온 곳으로 돌려보내는" 일에 지대한 관심을 쏟고 있었을 뿐이었다는 평가가 결코 지나치지 않은 행적을 보여주었다.[15] 평범한 일본인들 역시 정부의 편에 서서 점령군이었던 SCAP 앞으로 재일조선인이 사회 문제를 일으켜 온 문제 집단이라는 내용의 편지 발송을 멈추지 않았다는 사실에도[16] 주목할 필요가 있다고 하겠다.

사실 미국을 필두로 하는 연합군 세력에 맞서서 막대한 재정을 쏟아부으며 제2차 세계대전을 치르고 난 뒤 패전국 신세로 전락한 일본은 내부적으로 산적한 문제를 처리하는 것도 힘겨웠던 상황이라 솔직히 식민지 출신 이주민 문제에는 애초에 관심이 없었던 것으로 보인다. 게다가 재일조선인이 앞으로 어떻

---

14 SCAP가 관련 업무를 종료했다고 해서 한국으로 돌아가는 재일조선인의 행렬이 완전히 끊어진 것은 아니다. 비록 규모는 적었지만 꾸준히 귀환 행렬을 이어졌다고 한다. 김광렬, 『재일조선인귀환』, 한국민족문화대백과사전, 2013.

15 1949년 7월에 일본 경찰은 종전 이후 재일조선인 범죄가 급격하게 늘어나서 "일본인의 약 9배" 수준에 달한다고 보고했다. 조관자, 『재일조선인운동과 지식의 정치성 1945-1960』, 일본사상 22, 2012, 193~214쪽.

16 정용욱, 『일본인의 '전후'와 재일조선인관: 미군 점령당국에 보낸 편지들에 나타난 일본 사회의 여론』, 일본비평 3, 2010, 264~301쪽.

게 살아갈 것인가 하는 문제는 일본 정부와 일본인이 상상하는 범주 밖의 일이었다. 그저 어디라도 이들을 받겠다고 하는 지역이 나타나기만 하면 무조건 보내버리면 된다는 것이 일본 정부와 대다수 일본인의 태도였다고 하겠다.[17]

다만 일본 정부가 처음부터 재일조선인을 북한으로 송환할 계획을 세워놓고 이 문제에 접근한 것으로 보이지는 않는다. 특히 1951년 10월부터 한일국교정상화 예비회담을 시작한 이후에는[18] 일본 정부가 적어도 표면적으로 재일조선인을 한국으로 보내야 한다는 입장을 견지해 왔었다. 물론 당시 일본 정부가 재일조선인을 한국으로 보낸다고 확고한 관점을 세워 두었던 것이 아니라 그저 분단 상태에 놓인 한반도 어디라도 이들을 받겠다고 한다면 하루라도 빨리 보내려 했다는 것이 더 정확한 표현이라고 생각한다. 일본 정부가 북한당국을 상대로 재일조선인을 돌려보내려고 적극적인 움직임을 보이기 시작한 시점은 6·25 전쟁이 정전협정으로 멈추어 선 이후의 일이었다.

---

17 진희관, 『재일동포의 '북송' 문제』, 역사비평(61), 2002, 80~95쪽; 진희관, 『재일조선인 북송사업』, 한국민족문화대백과사전, 2012.
18 한국과 일본은 1951년 10월, 한일국교정상화 예비회담을 시작한 이후 1,500회가 넘은 협의 과정을 거쳐 1965년 6월에 정식으로 조인을 하고 국교를 정상화하게 된다.

4. 무관심에서 "북송" 추진으로 급변한 북한

「로동신문」지면에 나오는 기사 내용을 관찰해보면 북한 당국이 재일조선인을 받아들이는 일에 처음부터 관심을 가지고 있었다고 평가하기 어렵다는 생각이 든다. 적어도 1955년 ~1956년 시점까지 「로동신문」 지면에 등장하는 "송환" 문제가 재일조선인 관련 사안이 아니었다는 사실은 분명하게 나타난다. 오히려 당시 「로동신문」 기사는 재일 중국인이나 재일 화교 관련 사안에 집중하는 현상을 볼 수 있었다.[19] 한 걸음 더 나아가 재일조선인을 북한으로 받아들이는 문제보다는 "재조선일본인 송환" 문제를 다루는 기사가 「로동신문」 지면을 장식하는 현상이 나타나서 눈길을 끌기도 했다.[20] 그 이외에는 1953년 7월에 6·25 전쟁 정전협정 체결 이후 포로 송환과 관련한 문제를 다루는 기사가 가장 많이 등장한다.

실제로 일본 정부가 북한당국을 상대로 재일조선인 북송사업을 논의하기 시작한 것은 6·25 전쟁이 정전협정으로 멈추고

---

19 "본국 송환 요구하여 재일 중국인들 항의 대회," 「로동신문」 1953년 5월 19일자 4면; "재일 화교 송환 요구하며 일본 공산당 성명," 「로동신문」 1953년 6월 12일.
20 "재조선 일본인 송환 문제와 관련하여 일조협회에서 성명 발표," 「로동신문」 1955년 10월 15일자 3면.

난 이후의 일이었다.[21] 북한당국이 조총련을 통해 일본 내 조선
학교에 교육 원조금을 보내면서 재일조선인을 상대로 본격적인
선전 선동활동에 돌입한 것도 1957년의 일이었다. 당시 북한
당국은 한국 정부가 재일조선인을 위해 보내는 교육지원금보다
30배에 달하는 규모의 금액을 조총련을 통해 조선학교에 전달
하면서[22] 본격적으로 "지상낙원의 꿈을 알리는" 선전 선동작업
을 시작했다.

그 이후 1958년에 나온 「로동신문」 기사를 확인해 보면 갑
자기 일본 내 수용소에 억류해 놓았던 재일조선인을 "남조선
으로 강제 송환하는 것을" 결사반대한다거나 규탄한다는 내용
이 쏟아져 나오기 시작했다.[23] 심지어 일본에서 "남조선으로 강
제 송환된 조선 공민들이" 집단으로 도주했다는 기사가 나오기

---

21 김미영, 『재일한국인 귀국사업에 대한 이승만 정부의 대일(對日) 외교
   정책 분석』, 일본학연구 63, 2021, 99~120쪽.

22 위의 책, 99~120쪽.

23 "일본에 억류된 조선 공민들을 남조선에 강제 송환하려는 기도는 저지되
   여야 한다," 「로동신문」 1958년 1월 9일자 4면; "오무라 수용소에 억류
   된 조선 공민들 남조선으로의 강제 송환을 반대 궐기," 「로동신문」 1958
   년 1월 9일자 4면; "일본 수용소들에 억류된 조선 공민들이 남조선으로
   강제 송환되여서는 안된다," 「로동신문」 1958년 1월 11일자 1면; "일본
   공산당 기관지 일본 수용소들에 억류된 조선 공민들을 남조선으로 강제
   송환하는 것을 규탄," 「로동신문」 1958년 1월 19일자 3면; "억류된 공
   민들의 남조선 강제송환을 반대하는 일본 인민들의 투쟁 확대," 「로동신
   문」 1958년 2월 15일자 4면; "남조선에로의 강제 송환을 결사 반대한
   다," 「로동신문」 1958년 3월 28일자 4면.

도 했다.[24] 「로동신문」 지면에 이런 기사가 쏟아져 나오는 배경에 1958년 8월, 인도 캘커타에서 일본 적십자사와 북한의 조선 적십자사가 만나 소위 말하는 "재일조선인의 영주귀국" 문제를 놓고 회담을 진행한 뒤 협정에 조인하는 일이 일어나고 있었다는 점을 지적해야 할 것이다.

1950년대 중반까지 일본에 거주하는 중국인과 화교의 본국 송환을 포함하여 재조선일본인의 귀환 문제까지 거론하며 재일조선인 북송사업에 별로 관심을 표명하지 않았던 북한당국이 불과 몇 년이 지난 시점에 갑자기 태도를 바꾼 이유는 무엇인가? 몇 년 사이에 북한당국이 재일조선인 북송사업에 적극적으로 뛰어든 이유는 과연 어디에서 찾아야 할 것인가?

오늘날 북송사업 진행 당시 북한당국이 재일조선인을 받아들이려 한 이유는 6·25 전쟁을 치르고 난 뒤 전후복구에 투입할 노동력과 생산기계, 자본, 선진기술의 확보가 몹시 시급한 상황이라서 이들을 적극적으로 받아들이려 했던 것으로 평가하는 의견이 많이 나와 있다.[25] 실제로 그 당시 북한당국은 소위

---

24 "일본으로부터 남조선에 강제 송환된 조선 공민들이 집단 도주," 「로동신문」 1959년 1월 14일자 5면

25 김미영, 「재일한국인 귀국사업에 대한 이승만 정부의 대일(對日) 외교정책 분석」, 일본학연구 63, 2021, 99~120쪽; 남근우, 「북한 귀국사업의 재조명: '원조경제'에서 '인질(볼모)경제'로의 전환」, 한국정치학회보 44(4), 2010, 137~158쪽.

"인민경제개발 5개년계획" 초과 달성을 목표로 내세우고 생산 현장에 조금이라도 더 많은 인력을 투입하는 일에 관심을 쏟고 있었기 때문에 이런 주장은 타당성을 지닌다고 생각한다.

그렇지만 북한당국이 발행하는 「로동신문」 기사에 등장하는 내용을 기준으로 판단해 본다면 또 하나의 이유가 드러나는 것 같기도 하다. 적어도 「로동신문」 기사 흐름을 따라 추론해 보면 북한당국은 일본 정부가 재일조선인을 "남조선으로 송환하는 일에" 반대하다가 나중에야 이들의 북송사업을 적극적으로 추진한 것으로 보인다. 그 무렵, 남북한당국이 서로 체제 경쟁에 몰입하던 상황이라는 점을 감안해 볼 때 이런 가능성은 결코 무시할 수 없는 영역이라고 생각한다. 실제로 그 가능성은 얼마나 되는지 지금 상태에서 단언하는 것은 어렵다고 하더라도 앞으로 시간을 두고 확인해 볼 필요성은 있다고 하겠다.

5. 배척의 "상징" 같이 보이는 한국

이 책에서 다루는 재일한국인 북송사업 관련 연구를 하위주제별로 구분해 보면 유독 한국 정부의 대응 양상과 정책을 세밀하게 분석한 사례가 그다지 많지 않다는 평가가 나온다.[26] 그 와

---

26 김미영, 『재일한국인 귀국사업에 대한 이승만 정부의 대일(對日) 외교 정책 분석』, 일본학연구 63, 2021, 99~120.

중에도 제2차 세계대전 종전 이후에 한국 정부가 추진했던 재일조선인 정책은 기본적으로 국민을 버린다는 의미에서 기민정책(棄民政策) 개념으로 규정하거나 북한을 상대로 체제 경쟁을 할 때 우월한 지위를 확보하는 목표를 세워놓고 그 수단으로 이들을 동원했다는 뜻으로 "과시용 국민화" 정도로 평가하는 의견이 널리 인정을 받는 것으로 보인다.[27]

과연 이렇게 평가해도 좋은 것인가? 먼저 이 사안을 둘러싼 국제관계의 흐름이나 남북관계, 국내의 사회정치적 배경 현황을 조금 더 세밀하게 심층분석 하는 절차를 거쳐야 할 필요성은 없는 것인가? 제2차 세계대전 종전 이후, 지구상에서 가장 가난한 신생 분단국 한국 정부는 당시 과연 어떻게 재일조선인의 안녕과 복지에 기여할 능력을 충분히 갖추고 있었는데 하지 않았던 것인가? 그렇게 할 능력을 갖추지 못한 상태에서 그나마 최선을 다해 재일조선인의 이익을 추구하려 노력했는지 검토해 볼 필요는 없는 일인가? 백번 양보해서 만약 한국의 이승만 정부가 외교적인 협상에 미숙하여 "강경하고 거친" 방식으로 의견 제시를 하다가 재일조선인의 처지를 더 곤란하게 만들었다는 이유로[28]

---

27 오가타 요시히로, 『재일조선인에 대한 한국 정부의 인식』, 디아스포라 연구 2(1), 2008, 111~129쪽; 이성, 『재일조선인과 참정권』, 황해문화 57, 2007, 76~102쪽.
28 김동조, 『회상 30년 한일회담』, 중앙일보사, 1986, 187쪽.

그런 비난을 받아야 한다면 일본과 북한, 국제적십자사 내 주요 관계자를 비롯하여 당시 국제정치의 흐름을 일본 정부의 일방적 주장에 동조하는 상황으로 이끌어 간 책임을 져야 할 사람에게 과연 어떤 평가를 내려야 정당한가?

이 책을 쓴 나는 지금도 여전히 의문을 떨쳐버릴 수 없다. 그 당시 한국 정부의 재일조선인 정책을 평가하면서 서둘러 기민정책이나 과시용이었다고 단언하기 전에 당시 한국 정부의 관점에서 과연 어떤 일을 할 수 있었는가 검토해 볼 필요는 없는가?[29] 오히려 재일조선인 귀국사업이 본격적 궤도에 들어설 때까지 한국 정부는 일본을 상대로 "집단귀환론" 정책을 고수함으로써 역설적으로 이들이 북한으로 가도록 몰아가는 결과를 초래했다고 평가하는 의견은[30] 상대적으로 납득하기 쉬운 측면이 있다고 생각한다. 그렇지만 제2차 세계대전 이후 신생국으로 출범한 한국 정부가 국제적십자위원회와 미국, 일본을 상대하는 외교적 협상에 미숙하여 "강경하고 거친" 방식으로 의견을

---

[29] 일본 정부가 재일조선인 북송사업을 결정했을 때 한국 외무부 고위공직자로 이 과정을 경험한 김동조는 당시 어려운 상황 속에서 정치지도자들 모두 여당과 야당을 구분하지 않고 힘을 합쳐 반대운동을 전개함으로써 "국난에 슬기롭게 대처했다" 하는 말로 이 문제와 관련한 한국 정부의 정책을 높이 평가하는 의견을 남겨 놓았다. 김동조, 『회상 30년 한일회담』, 중앙일보사, 1986, 151쪽.

[30] 김미영, 『재일한국인 귀국사업에 대한 이승만 정부의 대일(對日) 외교정책 분석』, 일본학연구 63, 2021, 99~120쪽.

제시하다가 원래 의도와 다른 결과를 초래했고 결국 재일조선인의 처지를 더 어렵게 만들었다 해서 이렇게 미숙하고 다듬어지지 않은 모습의 발현을 곧 기민정책이나 과시적 행위와 동일한 의미를 지니는 일로 판단하는 소행은 매우 부당하다고 생각한다.

1959년 12월 14일 제1항차 북송선으로 소련 배 두 척이 일본의 니가타 항구를 떠나기 몇 달 전이었던 시점에 한국의 외무부 차관으로 근무했던 김동조는 그 당시 이승만 대통령은 일본 정부를 상대로 재일조선인의 법적 지위를 논의하러 도쿄에 나가 있는 대표단에게 아래와 같은 지침을 전달하라고 독촉했던 일이 있었다 하면서 그 내용을 다음과 같이 소개해 놓았다.[31]

① 일본에 거주하는 모든 한국인은 본국에 귀환해 조국에서 다시 살도록 할 것
② 일본 정부는 귀국하는 재일동포가 소유한 전재산을 가지고 귀국할 수 있도록 조치하되, 일본에 강제로 끌고 간 보상금으로 1인당 1천 달러씩 지급할 것
③ 만일 귀국하지 않은 교포는 우리 국민이라 할 수 없으니 이들을 우리 정부가 보호할 책임이 없고 따라서 일인들이 맡아 처리할 것

31 김동조, 『회상 30년 한일회담』, 중앙일보사, 1986, 194쪽.

이승만 대통령의 지침이 오늘날 가장 눈길을 끌며 비난을 받게 되었던 이유는 제3조항에서 서술하는 내용 때문이라고 생각한다. "귀국하지 않은 교포는 우리 정부가 보호할 책임이 없으니 일인들이 맡아 처리할" 것을 명시적으로 밝혀 놓은 제3조항 문구는 소위 자국민을 버렸다는 의미를 지닌 기민정책으로 비난을 받는 단초를 제공했던 것으로 보인다.

그렇지만 제3조항 내용을 토대로 당시 한국 정부를 비난할 때 제1조항과 제2조항 내용에도 아울러 관심을 기울일 필요는 있다고 생각한다. 무엇보다도 서둘러 결론을 내리기 전에 먼저 자신의 경험을 토대로 이렇게 구체적인 내용을 소개하는 김동조는 당시 이승만 대통령의 지침이 지니는 의미를 어떻게 소개하고 있는지 한 번 더 검토하는 과정은 필요하지 않겠는가?

김동조는 자신의 책에서 이승만 대통령 지시를 따라 이 내용을 일본 정부의 협상팀에 전달해서 그대로 실행하다 보면 결과적으로 재일조선인에게 더 큰 희생을 강요하게 되는 길이라고 생각했고 또 아무리 귀국을 원하지 않는 사람이 나온다고 해도 우리 정부가 보호할 책임이 없다고 선언하면 국제사회에서 자국민을 버린 처사라는 비난이 나올 것이 명확해서 여러 차례 지시를 거스르는 진언을 하다가 결국에는 사표를 제출하게 된 과정을 서술해 놓았다.

이 과정에서 김동조는 비록 자신은 의견이 달라서 사표를 제출했지만 재일조선인 북송문제가 첨예한 쟁점으로 등장한 이후 이승만 대통령은 일본 정부가 반드시 이들을 위해 보상금을 지불하고 재산도 모두 한국으로 반출할 수 있다는 조건으로 이들이 모두 귀국하도록 만들어야 한다는 생각이 확고하여 변한 일이 없었다는 사실을 분명하게 지적하였다. 이 문제와 관련하여 자신을 만났을 때 이승만 대통령은 아래와 같이 발언을 했었다고 김동조는 같은 책에 기록해 놓았다.[32]

나의 진의는 일인들의 혹독한 식민지 정책으로 남부여대하여 북만주 등에 유랑하게 됐고 일인이 강제 노역을 시키기 위해 일본의 공장·탄광 등에 끌어 가 갖은 고생을 시킨 동포들을 고국이 광복되었으니 귀국시켜 가족들과 따뜻하게 내 나라에서 지내도록 하자는 것이었어.

김동조는 이 발언을 들으면서 자신은 앞서 소개한 세 가지 방침에 문제가 많다고 생각하면서도 이승만 대통령을 향해 반감을 느낄 수 없었던 심경을 토로했다. 오히려 "일제의 혹독한 압제" 속에서 살았던 노구의 이승만 대통령을 바라보며 "송구함을 느꼈다" 하는 소회를 남겼다.

---

32 위의 책, 194쪽.

그 이유는 무엇이었을까? 나는 이승만 대통령 발언 가운데 등장하는 진의라는 단어에 주목해 볼 필요가 있다고 생각한다. 다시 말해서 "귀국하지 않은 교포는 우리 국민이라 할 수 없으니 우리 정부가 보호할 책임이 없고 일인들이 맡아서 처리할" 방침을 지시할 때 이승만 대통령의 진의를 기준으로 그 의미를 풀이해 본다면 재일조선인은 모두 귀국할 것을 전제로 하고 있었기 때문에 이런 발언을 할 수 있었다고 해석하는 것도 가능하다는 뜻이다.

이런 인식은 재일조선인이 일본을 떠나서 한국으로 들어온 이후에 새롭게 국적을 취득해야 하는 것이 아니라 원래 보유하고 있던 자신의 국적을 다시금 회복하면 되는 일이라고 보는[33] 관점이 아니면 설명하기 어려운 결과물이라고 생각한다. 아울러 가난한 신생독립국의 대통령으로서 하루하루 난관을 헤쳐나가던 이승만 대통령은 당시 재일조선인의 관점에서 가혹하기 짝이 없는 SCAP 기준을 그대로 받아들여 이주하게 한다면 이들의 생활기반 조성에 필요한 물자와 비용을 어떻게 조달할 것인가 하는 현실적 고민을 담아 이런 방안을 제시했을 가능성도 있다고 생각한다.

---

33 김미영, 앞의 책, 115쪽.

그 당시 이승만 대통령의 지시 내용을 구체적으로 평가해 볼 때 냉혹한 국제 정세의 현실에 효율적인 대처를 하지 못한 채 자신의 주관적인 생각만 고집하는 오류를 범했다고 비난하는 것은 충분히 타당성을 지니는 일이라 하겠다. 또 별로 설득력이 강하지 않은 정책을 추진하겠다고 주장하다가 결과적으로는 오히려 재일조선인을 더욱 곤란한 처지로 밀어 넣었다는 의미에서 좋게 평가한다 해도 기껏해야 소극적이었다고 평가하는 것도 납득할 수 있겠다.

국제적으로 좋은 평판을 받는 외교력을 발휘하지 못했고 협상 국면에 유용한 정책을 제시할 능력이 부족했다는 점 때문에 곧바로 자국의 국민을 버리려 하는 기민정책을 추진했다고 비난하는 것은 정당한 일인가? 이런 비난은 사실상 너무 많은 단계를 뛰어넘는 논리적 과장의 결과물이라고 생각한다.

6. 북송선 탑승 당시 국제적십자위원회 역할

재일조선인 북송사업의 결정과 진행 과정에 중요한 역할을 담당했으면서도 심층면담 대상자와 대화하는 과정에 가장 드러나지 않았던 행위자가 국제적십자위원회라는 점에서 의문의 여지가 없었다. 북송선에 직접 탑승했던 제1세대 당사자를 포함하여 다양한 유형의 재일조선인들 모두 국제적십자위원회의 활동 내역을 잘 모르고 있었던 것으로 보인다. 처음부터 국제적십자위원회의 활동을 평가하는 문제에는 아예 관심을 두지 않는 것 같았다. 결국 재일조선인 북송사업 관련하여 국제적십자위원회의 행적을 어떻게 평가하는지 질문해 봐도 이들의 답변에 별로 눈길을 끄는 내용이 나오지 않았다.

그래도 북송선에 직접 탑승한 재일조선인과 관계자 몇 사람이 국제적십자위원회의 행적과 관련하여 기억한 내용을 들려주는 지점은 한 가지 있었다. 바로 북송선 탑승에 앞서 북한에 이주하는 사람이 자신의 의사로 떠나는 것인지 확인하는 절차를 제대로 수행하지 않았다고 증언한다는 점이었다. 원래 북송선 탑승 의사는 개인별로 확인하는 것으로 정해져 있었지만 이 절차를 생략한다거나 가족이나 친족 단위로 집단 이주하는 경우에 대표자 한 사람을 대상으로 질문하고 그쳐서 자신이 반대한다는 의견을 표명할 기회를 놓쳤다고 하는 증언이 계속 나왔다.

재일조선인 남편의 가족 10명과 함께 1961년에 제63항차 북송선을 타고 북한으로 이주해 갔던 일본인 처 한 사람도 비슷한 경험담을 들려주었다. 심층면담 대상자로 만난 일본인 처 한 사람은 1961년 북송선 탑승에 앞서 자신은 가고 싶지 않다고 말하려고 국제적십자위원회의 개인별 의사 확인 절차를 기다리고 있었지만 그런 기회는 주어지지 않았다고 말해 주었다.

그 당시 출산한 뒤 얼마 지나지 않아 몸이 힘든 상태였고 자신은 굳이 북한으로 이주할 생각이 없었지만 집안의 대표인 시아버지와 남편이 나서서 가족 구성원이 모두 함께 북송선에 탑승하는 것으로 결정해 두었기 때문에 마땅히 반대 의사를 표현할 기회가 없이 그저 시간을 흘려보내고 있었다고 했다. 이런 상황에서 북송선 탑승 직전에 국제적십자위원회에서 개인별 의사를 확인하는 절차를 진행한다는 소식을 들었다. 다행히 동서도 자신과 같이 북한으로 이주하는 것을 싫어했기 때문에 두 사람이 의기투합하여 국제적십자위원회의 개인별 의사 확인 절차를 기다렸다. 그런데 국제적십자위원회 관계자는 10명의 탑승 인원을 대표하는 사람이 누군지 확인한 뒤 시아버지 대상으로 자신의 의사로 북한에 이주하려 하는 것인지 질문하고 난 뒤 모든 절차를 마무리하고 말았다는 것이다.

심층면담을 진행해 보면 이와 비슷한 경험담을 들려주는 사람이 종종 등장한다. 이런 사실로 미루어 볼 때 그 당시 국제적십자위원회 차원에서 재일조선인을 대상으로 북송선 탑승은 개인의 자유 의지에 따른 선택인지 분명하게 확인하려는 의지는 있었는지, 또 의지는 있다고 해도 제대로 실천하려 했었는지 의문을 품지 않을 수 없다고 하겠다. 그 무렵 국제적십자위원회의 행적을 확인해 보면 일본과 북한의 적십자사가 합의했던 내용을 그대로 실행에 옮기는 일에 집중한 나머지 재일조선인의

의사를 제대로 확인함으로써 개인의 권리를 존중하는 문제에는 별반 관심을 두지 않았던 것으로 보인다.[34]

7. 일본에서 조센징으로 살던 시절 사람들

심층면담 대상자와 이야기를 나누면서 가장 놀랐던 점은 바로 이들이 한국 정부의 재일조선인 정책과 관련하여 반감을 표현하는 일이 많다는 점이었다. 이른바 자국민을 버렸다는 의미로 쓰이는 기민정책이라는 표현이 지금도 여전히 재일조선인의 "머리와 가슴을 지배하면서" 위력을 발휘하고 있는 것이라는 느낌이 들기도 했다.

이런 상황에서 흥미를 끄는 지점이 하나 나타났다. 바로 탈북 북송재일동포 당사자는 물론이고 이들의 삶과 밀접하게 관련을 맺은 상태로 오랫동안 지내 온 관계자 유형의 다양한 사람까지 포함하여 한국 정부의 재일조선인 정책을 비난하는 것이 논리적인 사고의 과정을 거쳐 도출해 내는 결론이 아니라는 느낌이 드는 일을 종종 발견하게 된다는 점이었다. 논리적인 사고의 결과가 아니라 다분히 감정적으로 보이는 경우도 많았다. 왜 이런 현상이 나타날까?

---

34 테사 모리스-스즈키, 『북한행 엑서더스: 그들은 왜 북송선을 타야만 했는가』, 책과함께, 2008.

심층면담 대상자와 이야기를 나누면서 재일조선인 북송사업 과정을 되돌아보면서 혹시라도 자신에게 좋았던 측면이 있었는지 질문하면 앞서 제2장에서 제시해 놓은 당사자 유형과 관계자 유형 모두 부정적으로 답변한다는 측면에서 전혀 다를 바가 없었다. 이들의 의견을 종합해 보면 재일조선인 북송사업은 오랫동안 일본 정부가 주장해 온 것처럼 인도주의적 성격은 찾아볼 수 없고 북한당국이 되뇌었던 "지상낙원의 삶을 누리게" 해주지도 않았다고 했다.

조총련은 북한당국의 의도에 따라 온갖 거짓으로 재일조선인을 속여서 북송선에 태우는 일에 혈안이 되었을 따름이었다고 이들은 되짚어 주었다. 탈북 이후 일본에 거주하는 북송재일동포인 경우에는 지금도 여전히 조총련을 비난하는 마음과 두려워하는 공포감 사이에서 혼란을 겪는 사람이 많은 것으로 나타난다. 이들은 조총련의 속임수로 자신이 북한에 가는 피해를 겪었는데 아직도 북한에 남겨 두고 온 가족이나 친인척이 어떤 피해를 당하는 일이 발생할까 두려워하면서 마음 졸이며 살아가는 것 같았다. 그렇지만 재일조선인 북송사업 진행 과정에 주요 행위자로 참여한 국제적십자위원회의 역할을 거론하거나 평가하는 사람은 별로 없었다. 이들은 기본적으로 국제적십자위원회 관련 내용은 잘 모르기도 하고 또 관심도 없었다.

심층면담 대상자와 이야기를 나누면서 이 과정을 되짚어 보면서 재일조선인 북송사업은 누구의 잘못이 가장 크다고 생각하는지 질문했을 때 이들의 반응이 완전히 다른 양상으로 나타나서 정말 놀라울 정도였다. 별다른 설명이 없이 심층면담을 시작할 때 재일조선인 북송사업은 누구의 잘못이 가장 크다고 생각하는지, 오늘날 누가 이 사안과 관련한 책임을 지고 마지막까지 문제를 해결해야 하는지 질문했을 때 한국 정부를 원망하는 마음을 가감없이 쏟아내는 목소리가 꽤 높아서 놀라울 정도였다는 뜻이다.

그런데 시간을 두고 차분하게 이야기를 나누다가 같은 질문을 반복하면 조총련의 잘못이 가장 크고 북한당국과 일본 정부가 괘씸하다는 의견을 피력하는 경우가 많아서 반응이 다르게 나타나는 것도 흥미를 끌었다. 이 부분에서도 여전히 국제적십자위원회의 역할을 평가하는 의견은 별로 드러나지 않았다.

심층면담 초반부에 불쑥 질문했을 때 이들이 별로 생각을 깊이 하지 않은 상태에서 마치 반사 반응을 보이는 것처럼 한국 정부를 향해 원망의 목소리를 쏟아내는 원인은 과연 어디에서 찾아야 할 것인가? 사실 이들은 한국 정부의 재일조선인 정책을 구체적으로 알지 못하면서도 본능에 가까울 정도로 강력한 거부 반응을 드러내는 경우가 많았다. 이런 현상이 나타나는 이유는 무엇일까?

이들의 논리를 요약해 보면 일본 정부는 재일조선인을 "몰아내려고 하는데" 한국 정부는 "우리를 버렸고, 오지 말라고 하면서 받아들이지 않았지만" 북한당국은 비록 속임수를 쓴 것이 괘씸하지만 그래도 "그동안 고생한 동포여, 어서 오라" 하면서 "막대한 금액의 교육지원금도 보냈고[35] 갈 곳이 없던 우리를 따뜻하게 환영해 주었다" 하는 것으로 나타난다. 이렇게 이야기를 하다가 잠시 화제를 돌리면서 당시 한국 정부는 재일조선인이 일본에서 힘들게 모았던 재산을 다 가지고 귀국하게 해야 한다고 주장했으며 한 걸음 더 나아가 일본 정부가 이들을 위해 1인당 1,000달러에 이르는 보상금을 줄 것을 요구했다는 말을 꺼내면 이들은 "전혀 몰랐다, 그런 일이 정말 있었는가, 사실인가" 하면서 깜짝 놀라는 반응을 보였다. 당시 한국 정부도 비록 규모는 적었지만 재일조선인을 위해 교육지원금을 보냈다는 소식을 전달해도 이들은 놀랐다. 이들의 반응은 결국 "한국 정부가 우리를 버린 것이 아니었다는 말이냐" 하는 질문으로 모이는 현상을 볼 수 있었다.

---

35 이들은 북한당국이 조총련에 돈을 보낸 일을 기억하면서도 구체적으로 얼마나 많은 금액을 언제 보냈는지 정확하게 기억하지 못하고 있었다. 그런가 하면 재일조선인 사회가 조총련을 통해 북한으로 보낸 돈이나 물품은 얼마나 되는지 비교하려 하지 않았다.

조센징, 쩨포, 탈북민
탈북 북송재일동포의 세 토막 인생살이

이런 반응은 재일조선인의 관점에서 가장 확인해 보고 싶었던 문제가 무엇이었는지 드러내 주는 현상이라고 생각한다. 비록 세월이 오래 흘렀지만 북송사업 진행 당시 재일조선인의 심정은 "일본에서 뿌리가 뽑힌 것처럼 살고 있을 때 누군가 손을 내밀어 주기만 해도 덥석 그 손을 잡을 수밖에 없을 정도로" 절박한 상황이었다는 사실을 시사해 준다. 일본 정부는 식민 통치를 하는 동안 스스로 필요한 인력을 차출해서 데려갔으면서도 패전 이후 이들을 몰아내는 일에만 관심을 쏟았고 한국 정부는 그 절박한 심정에 귀를 기울여 세심하게 배려하는 정책을 내놓지 못한 채 집단귀국론에 매달렸던 반면 북한당국은 조총련을 앞세워 갈 곳 없는 재일조선인의 처지를 개별적으로 분석하고 집요하게 파고 들었던 것이다. 그리고 국제적십자위원회는 일본 정부와 적십자사의 의견을 따랐을 뿐이며 이 문제의 당사자인 재일조선인의 목소리에 귀를 기울이거나 이들의 권리를 존중하려는 모습은 전혀 보여주지 않았다.[36]

---

36 재일조선인 북송사업을 결정하는 과정에 주요 행위자로 참여하면서도 이들의 권리를 존중하는 문제에는 전혀 관심이 없는 국제적십자위원회의 행태는 다시금 당시 인권이라는 사안은 유럽인과 서구인의 영역으로 한정하여 적용하려 했던 것으로 보인다는 비판에서 벗어날 수 없다고 하겠다.

1959년 12월 14일 제1항차 북송선 출발을 앞두고 조총련 니가타 지부가 나서서 항구로 가는 길에 버드나무를 심었다고 한다. 버드나무가 많아서 일명 유경으로 알려진 평양으로 가는 길이라는 의미를 담았다는 것이다. 2018년 이 곳을 방문했을 당시에는 이미 예전과 달리 버드나무도 많이 줄어 예전의 흔적이 사라지고 있다는 말을 들었다.

북송선을 탈 사람들은 숙소에서 니가타 항구까지 버스를 타고 이동했다고 한다. 이들이 이동했던 길을 따라 가다 보면 왼쪽으로 조총련 니가타 지부 건물이 나온다. 건물 앞에는 조국왕래기념관이라는 글자를 새겨 넣은 표지석이 있다.

북송선을 탈 사람들을 태운 버스가 사진 속 교차로에서 좌회전을 하면 니가타 항구로 들어서게 된다. 바로 그 지점에 북송사업을 기념하는 조형물이 자리를 잡고 있다. 2018년 현지 탐방할 때 관찰해 본 결과 기념 조형물에 새겨 넣은 글자 중에서 유독 숫자 부분이 집중적으로 지워져 있는 모습을 발견했다.

기념 조형물 옆에 자리를 잡고 있는 목제 표지판이다. 이 표지판에 나오는 글자도 역시 숫자 부분이 집중적으로 지워져 있는 모습이 눈길을 끌었다.

조센징, 쩨포, 탈북민
탈북 북송재일동포의 세 토막 인생살이

북한으로 이주하는 재일조선인을 실어 나르던 북송선이 출발했던 니가타 항구를 2019년에 촬영한 모습이다. 니가타 항구에 여객선이 정박해 있는 모습이다.

니가타항 전경

조센징, 째포, 탈북민
탈북 북송재일동포의 세 토막 인생살이

2019년 니가타 방문 당시 착륙하는 항공기 안에서 항구 전경을 촬영한 모습이다.

Part IV

북한 내 째포의
사회적 위치

이 부분에서는 탈북 북송재일동포가 처음에 일본을 떠나 북한으로 이주해 간 이후 어떻게 세월을 보냈는지 이들의 이야기를 통해서 정리해 보고자 한다. 무엇보다 그곳에서 째포라는 차별적 호칭을 들으며 살아가야 했던 경험담을 중심으로 언제, 무슨 일을 계기로 이들은 마침내 탈북을 결심하게 되었는지, 그렇게 결정을 내린 뒤에 막상 북한을 떠나야 하는 시점에는 어떤 심경을 가지고 있었는지, 또 구체적으로 무슨 특별한 경험을 한 것은 없는지 관련 내용을 정리해 볼 예정이다.

1. 청진항 도착 순간과 그 직후의 기억

몇몇 예외가 없는 것은 아니지만[1] 심층면담 대상자로 참여해서 자신의 경험담을 들려준 사람들 이야기를 정리해 보면 일본의

---

[1] 당연한 일이지만 아주 어린 시절에 부모님을 따라 북한으로 이주해 간 사람은 북송선 탑승 시점이나 청진항에 도착했을 당시 기억이 전혀 없다고 들려주었다.

니가타 항구를 떠난 뒤 배가 청진항에 도착하는 순간에는 이미 "완전히 속았다, 지상낙원에 온 것은 아니구나" 하는 정도는 알았다 하는 반응이 보편적으로 나타났다. 아직 그 배에서 내리기도 전이었는데 "일본에 살면서 얼마나 고생이 많았느냐, 조국의 품으로 돌아온 것을 환영한다" 같은 내용을 쓴 팻말을 들고 부두에 나온 환영인파의 차림새가 너무나도 "옹색하고 추레해서" 놀라움을 금할 수 없는 정도였다고 이들은 말해 주었다. 그래도 온 식구를 인솔해서 온 가장을 포함하여 어느 정도 나이가 든 사람들은 주변의 눈치를 보면서 입을 다물고 있었지만 철부지 10대 후반 청소년기 남자아이 몇 명은 배에서 내리기도 전에 일본으로 돌아가고 싶다며 외치다가 바다로 뛰어내리기도 하고 누군가 알 수 없는 사람들 손에 끌려 나가는 일도 있었다고 증언하는 사람이 많았다.

나중에 찬찬히 되짚어 보면 북송선에 탑승하는 순간부터 시작해서 식사 시간에 나오는 음식까지 이상한 점이 많았다고 기억을 더듬어 설명해 주는 사람도 있었다. 그렇지만 배에 머무는 기간에는 가족이나 친구와 함께 여행하는 기분도 어느 정도 느끼면서 잘 지냈고 감정적으로도 잔뜩 흥분한 상태라 음식을 제대로 먹지 못해도 그저 그런 줄 알았는데 나중에 청진항 도착해서 재일조선인 임시 수용시설에 들어간 이후에도 "며칠 동안 밥이 잘 넘어가지 않아서 고스란히 남기는 일이 많아 고생했다" 하는 사람도 많았다. 이들이 더 놀랐던 것은 자신을 맞이하러 나왔다는 사람들이 그렇게 남겨 놓은 음식을 허겁지겁 먹는 모습을 직접 목격했을 때였다고 회상하기도 했다. 시간이 정말 많이 지났지만 "나중에 이런 음식도 없어서 먹지 못하니까 지금 많이 먹어두라" 하는 말을 들었어도 그 당시에는 "그게 무슨 의미인지" 알지 못한 채 그저 이상하다는 생각만 했던 장면이 지금도 또렷하게 떠오른다고 이들은 말해 주었다.

청진항에서 임시 수용시설로 들어가는 길에는 낡은 버스를 탔는데 자신이 아무리 일본에서 어렵게 살았다고 해도 "그렇게 낡고 초라한 버스는 구경해 본 일도 없어서" 새삼 놀랐다는 사람이 많았다. 그리고 버스 안에서 안내원이 청진은 북한 내 3대 도시로 공업이 발달한 지역이라고 선전하는데 하필이면 그 순간에 "창밖으로 소가 끄는 우차가 지나가는 장면을 보고" 자신도 모르게 소리를 질렀다는 경험담도 나왔다.

2. 거주지 배치 관련 기억

북송선을 타고 온 재일조선인이 청진항에 도착해서 하선하고 나면 환영행사를 하고 그 뒤에는 버스를 타고 임시 수용시설로 옮겨가서 며칠 숙박을 하게 된다. 임시 수용시설은 한참 북송인원이 많았을 때 청진과 함흥에 한 곳씩 운영하다 어느 정도 시간이 지나면서 함흥에 있었던 시설은 폐쇄했다고 한다. 북한당국은 재일조선인이 임시 수용시설에 머무는 동안 소위 담화 과정을 통해서 거주지 배치를 진행했다는 것이다.

거주지 배치는 곧 재일조선인이 이때부터 북한에서 살아갈 주택과 직장 배정은 물론이고 자녀의 학교를 정하는 문제까지도 이어지기 때문에 이들의 생활에 있어서 아주 중요한 의미를 지니는 일이었다. 그런데 탈북 북송재일동포 대상으로 청진항에 도착하고 난 뒤 어느 지역으로 거주지 배치를 받았는지, 왜 그 지역으로 배치를 받았는지 이유를 알고 있었는지, 거주지 배치와 관련한 설명을 들은 일은 있는지 질문했을 때 이들이 답변으로 들려주는 내용을 정리하는 동안 또 새로운 차원의 분노와 좌절에 빠져드는 것을 느꼈다.

149쪽 그림에서 알 수 있겠지만 재일조선인을 맞아들인 북한당국은 이들이 "특정 지역에 모여서 집단 세력을 만들지 않도록 곳곳으로" 흩어 놓았던 것으로 나타난다. 문제는 북한당국이 재일조선인의 거주지 배치에 어떤 원칙을 적용했던 것인지 정확하게 설명을 들었다고 말해 주는 심층면담 대상자가 사실상 없었다는 점이었다. 대체로 북송사업을 시작하자마자 1959년이나 1960년 초반에 북한으로 이주해 온 사람은 "평양에 떨어지는" 확률이 높다고 한다거나 일본에 살면서 "나무를

[북한 내 첫 배치지역]

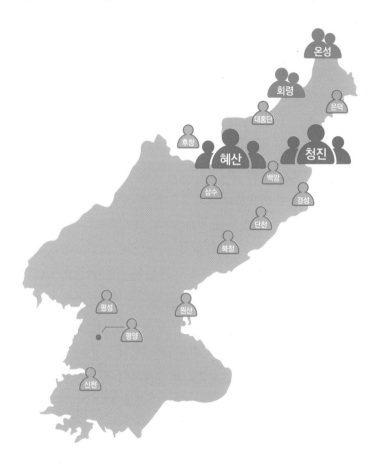

북송 당사자와 그 부모 및 조부모 세대가 청진에 도착한 이후 북한당국이 이들을 어느
지역으로 배치했는지 2019년 심층면담 대상자 86명 증언을 토대로 재구성한 그림이다.

다루는 일을 했었다"하니까 그 말을 듣고 곧장 삼수갑산에 있었던 임업사업소로 보내 평생 벌목 직장에 배치했다고 하는 답변도 나왔다. 이들의 답변 내용으로 미루어 당시 북한당국이 재일조선인을 위해 세심하게 거주지 배치 원칙을 세워 실행했던 것으로 보이지는 않는다. 그런 와중에 "누구나 돈 한 푼 들이지 않고 마음껏 공부할 수 있고 질병에 걸려도 치료비 걱정을 할 필요가 없다"하면서 강조하던 조총련의 선전 선동활동 내용과 다른 상황에 망연자실했다는 경험담도 많이 나왔다.

일본에 살면서 대학공부를 하지 못할 것 같아서 22세 나이로 북송선을 탄 뒤 임시 수용시설에서 담화할 때 "주간대학에 진학하고 싶다"하는 희망을 밝혔다 비웃음만 사고 산간벽지로 배치를 받았던 여성의 경험담도 눈물겹다. 거주지와 직업 등을 배치하는 업무를 담당한 북한당국의 관리는 주간대학에 진학하고 싶다는 이 여성의 희망을 마지막까지 들어주지 않았다는 것이었다. "그 나이에 여자가 대학공부를 해서 뭘 하느냐, 집안일도 거들어야 하는데 대학공부나 한다고 돌아다니면 시집은 언제 갈 수 있겠나"하면서 "우리한테는 공장대학이나 농장대학도 있으니 걱정하지 말고 그런 곳에 가서 공부도 하고 일도 하면 된다"하는 것이 그 관리의 논리라고 했다.

10대 청소년 시절 북송선을 타고 북한으로 이주한 사람은 거주지로 배치를 받은 양강도 산골 지역으로 들어서는 길에 차마

웃을 수도 없는 경험을 했다고 말했다. 그 지역 주민들이 나서서 일본에서 어렵게 살면서 고생했던 동포를 환영한다고 현수막을 붙여 놓았다가 "멀끔한 차림새로 차에서 내리는" 자신과 가족들 모습을 보면서 당황해서 황급하게 떼어 내는가 하면 쌀독에 쌀이 가득할 것이라고 선전하는 안내인을 따라 집안에 들어섰는데 막상 확인해 보니 딱 한 줌 정도 쌀이 있었다 하는 이야기를 들려주기도 했다. 그런가 하면 비록 일본에서 가난하게 살았다고 해도 나무를 때서 밥을 하거나 방을 덥히는 일은 상상도 하지 못했던 상태에서 북한으로 이주한 뒤 "북쪽 추운 지역에" 거주지 배치를 받은 이후 얼마나 고생이 많았는지 하소연하는 사람도 드물지 않았다.

3. 학교생활과 직장생활

북송선에 탑승할 때 나이가 어려 북한에서 의무교육 과정을 거쳤던 사람도 그렇지만 처음부터 그 곳에서 출생한 자녀 세대의 성장기 경험과 학교 생활 이야기를 들어보면 온통 눈물겨운 경험담으로 뒤덮여 있었다. 사실 재일조선인 북송사업의 결과로 북한에 이주한 사람이 10만 명 가깝게 되지만 오랫동안 차분하게 준비하는 과정을 거쳐 북송선에 탑승한 인원은 그렇게 많지 않았다고 한다. 특히 부모의 결정으로 청소년기에 북송선을 타야 했던 사람은 바로 얼마 전까지 일본인 학교에 다니면서 일본어만 사용하다가 갑자기 이주하느라고 "조선말을 전혀 하지 못하는" 상태로 북한에 갔다고 하는 비율이 높았다.

이렇게 "조선말을 전혀 하지 못하는" 상태로 북한에 도착한 이후 학교에 다녀야 했던 1.5세대와 아예 그 곳에서 태어난 2세대 당사자는 학창 생활 초반부에 당연히 좋은 성적을 올릴 수 없는 사례가 많았다. 학교에 가면 놀림을 당하는 일이 많아도 "조선말을 못하는 만큼" 자신은 누구나 하고 싶어 하는 "간부 자리에 올라설 수 없는 것도" 당연한 일이라고 생각하면서 지냈다는 것이다. 그런데 시간이 지나면서 "조선말을 충분히 읽고 쓰는 능력을 갖추고 난 뒤에도" 상황은 달라진 것이 없고 학교 안에서 자신의 위치가 변하지 않는다는 사실을 깨달으며 의문을 품기 시작했는데 막상 "할 수 있는 일은 아무 것도 없어서" 절망에 빠지곤 했다고 그 막막하고 답답했던 심경을 토로하였다. 한 걸음 더 나아가 자신이 학교에서 억울한 일을 겪었을 때 집에 가서 호소한다고 해도 아무런 소용이 없었다는 점이 가장 힘들었던 경험이라고 이들은 말해 주었다.

1.5세대와 2세대 당사자 중에서는 북한에 사는 동안 "제일 속상하고 숨이 턱턱 막혔던" 일을 꼽으라고 하면 자신이 "학교나 동네에서 아무리 억울한 일을 당하고 들어온다고 해도 항의도

한 번 제대로 하지 못하는 부모님 모습을 보는" 일이었다고 호소하는 사람이 많았다. 항의는 고사하고 자신이 억울한 일을 당했다고 하는데 오히려 주변 사람에게 "늘 비굴하게 머리를 조아리는" 부모의 모습을 볼 때 정말 숨이 막히는 것 같아 견디기 힘들었다고 토로했다. 이들은 그럴 때마다 부모가 "너무 무기력하고 책임감도 없는 것 같았다, 제대로 키우지도 못하는 상황에서 나를 왜 이런 곳에 데려왔느냐, 나를 왜 이런 곳에서 낳았느냐" 하는 원망으로 내심 반항하는 일도 많았다고 당시의 심경을 털어놓았다.

이렇게 억울함과 원망으로 가득한 학창 생활을 하다 보니 공부를 열심히 할 이유도 없었고 졸업 이후 좋은 대학에 진학해서 인생의 꿈을 실현해 나갈 야망을 품을 계기도 딱히 찾을 수 없었다는 것이 1.5세대와 2세대 당사자 유형에 속하는 사람들 의견이었다. 물론 항상 예외는 있었고 학교 다니는 시절에 열심히 노력해서 사회적으로 인정을 받도록 애쓰는 사람이 없었던 것은 아니라고 말하는 사람도 있었다. 그런데 몇몇 심층면담 대상자는 학창 시절에 이렇게 노력하던 사람도 "때가 되면 그 사회 속에서 째포는 어느 선 이상 절대로 올라갈 수 없다는 사실을 체감하는 시점을 경험하게 된다" 하고 주장하였다.

심층면담 대상자들 주장을 요약하면 북한사회에서 째포라는 신분으로 살아가는 사람은 학교를 졸업한 뒤 직장생활을 하는 동안에도 "늘 보이지 않는 감시와 차별에 노출이 된 상태로" 살아야 한다는 점에서 본질적으로 달라지는 부분이 전혀 없다는 것이었다. "결국 시간의 문제일" 뿐이며 북한에서 일상생활을 이어가야 하는 째포라면 누구라도 학교와 직장에서 비슷한 방식으로 언젠가 사회적 좌절을 경험한다는 점에서 예외가 없다는 것이 이들의 의견이었다.

4. 결혼과 자녀 양육

재일조선인이 북한으로 이주한 뒤 이른바 째포라는 호칭을 들으며 살아가는 동안 반드시 해결해야 하는 인생의 중대사 중의 하나가 바로 배우자를 만나서 무사히 결혼까지 잘 마무리하는 것이라고 심층면담 대상자 몇 사람이 주장하였다. 북한에서 어느 정도 나이가 차면 "누구나 다 하는 결혼이 유독 째포에게 어렵고 힘든" 과제로 다가오는 이유는 바로 지독한 성분사회인 북한에서[2] 이들의 사회적 지위가 높지 않기 때문이다.

---

2 오늘날 북한주민은 누구나 태어나는 순간부터 당국이 정해 놓은 3대 계층, 51개 부류의 어느 한 범주에 속한 상태로 일생을 살아야 한다는 사실을 잘 알고 있다. 구체적으로 자신의 성분이 51개 부류 중에서 어디 속하는지 정확하게 파악하고 있는 경우는 많지 않지만 대략 어느 수준 정도인지 짐작을 하는 것은 어렵지 않다는 것이 심층면담 대상자들 의견이었다. 초등교육을 받는 소학교 시절, 학급이나 학교 간부 선발부터 시

사실 재일조선인 북송사업 초창기인 1959년 무렵에 북한당국은 전체 주민을 대상으로 "이들의 출신성분을 요해하는 사업을 벌였다." 그 사업을 시행한 후 북한당국은 전체 주민을 크게 핵심계층과 동요계층, 적대계층 등 3개계층으로 구분해 놓았는데 이른바 째포 집단에 속하는 사람은 일부 예외를 제외하면 출신성분이 좋지 않았다. 결국 시간이 조금 지나고 난 이후에 북한 사회 내부에서 째포라고 하면 출신성분이 좋지 않고 조선노동당 당원으로 입당할 확률이 낮으며 그만큼 사회적으로 "발전할" 확률도 높지 않은 집단이라는 점은 모르는 사람이 없는 상식으로 자리를 잡게 되었던 것이다.

이런 상황에서 처음부터 북한 내에서 "발전할 길이 막혀 있는" 째포 출신을 배우자로 맞이하려고 노력하는 사람은 사실상 찾아보기 어렵다고 하는 것이 심층면담 대상자들 의견이었다. 간혹 일본에서 주기적인 후원으로 물건과 돈을 받아서 살아간다고 하니 다른 사람보다 경제적인 풍요를 누릴 수 있을 것이라는 희망으로 가난한 집안에서 사돈을 맺으려 하는 경우는 있지만 그나마 1990년대 중반 고난의 행군 이후에 나타나는 현상이며 그 이전에는 없던 현상이라고 했다. 이 말은 곧 고난의 행군 이

작해서 상급학교 진학, 직장 배치, 승진과 승급 등 일생동안 출신성분의 영향이 작용하기 때문에 자신이 어느 정도 수준인지 모르면서 살아간다는 것은 북한 내에서 원천적으로 불가능한 일이라고 이들은 주장한다.

전에는 째포 집안 출신의 사위와 며느리를 환영하는 부모가 별로 없었다 하는 의미라고 심층면담 대상자 몇 사람이 설명해 주었다.

심층면담 대상자 중에서는 얼굴 한 면에 깊숙하게 자리를 잡은 상처를 보여주면서 째포 출신의 남편과 결혼하겠다고 집안 식구한테 소개했을 때 큰 오빠가 재떨이를 집어 던져 크게 다쳤던 자리라고 설명해 준 사람이 있었다. 이 사람은 어릴 때부터 자신을 "정말 아끼고 고와했던" 큰 오빠가 크게 분노하면서 "째포는 절대로 안된다" 하며 소리를 지르던 모습을 아직도 기억한다고 말했다. 그리고 당시에 심하게 충격을 받았던 자신은 오기가 생겨 온갖 수단방법을 가리지 않고 결혼하고 3년쯤 된 시점에 "남편을 조선노동당 당원으로 만들고 난 뒤에야 큰 오빠 앞에 떳떳하게 마주 설 수 있었다" 하는 경험담을 들려주었다.

자신의 배우자를 선택할 때 담대하게 째포 출신의 남성을 선택했던 이 여성도 자녀를 출산하고 양육하면서 왜 큰 오빠가 결혼을 그렇게 반대했는지 이해할 수 있었다고 말했다. 자신이 스스로 "눈에 보이지 않는 차별에 맞서 투쟁할 때 잘 모르는 채 흘려보냈는데" 자녀를 양육하는 과정에서 피해 나갈 수 없는 현실의 무게가 완전히 다르게 다가왔다고 토로했다. 그런가 하면 10년 이상 연인으로 지내며 동네에서 모두 결혼할 남자로 생각했었는데 그 부모가 "제발 아들의 앞길을 막지 말아 달라"

하소연하는 것을 듣고 결국 탈북할 수밖에 없었다고 하는 여성
도 있었다.

상황이 이런 만큼 실제로 북송재일동포인 부모의 자손으로
북한에서 출생한 심층면담 대상자 중에서는 태어날 때부터 째
포의 자녀로 살아가야 했던 자신의 서러움을 토로하는 사람이
많았다. 이들은 북한에 사는 동안 자신의 처지가 마치 짝퉁으로
태어난 것 같은 느낌을 받았다는 의미로 늘 "8·3 제품"[3] 비슷한
존재로 취급을 받으면서 살았다고 설명하는 사람도 있었다.

5. 일본에서 온 손님맞이

심층면담 대상자들 이야기를 종합해 보면 북한주민 속에서
는 "똑같이 일본에서 건너 온 째포라고 해도 다같은 째포로 취급
하는 것이 아니다" 하는 주장이 나온다. 일본에서 떠날 때 아무런

---

3 북한 내부에서 8·3 개념이 처음 등장한 것은 1984년 8월 3일의 일이다.
  김정일이 그 날 경공업전시회 현장에 나타나서 각 공장마다 중앙에서 배
  치하는 원료에만 의존하지 말고 이른바 "내부 예비를 동원해서" 생산 가
  능한 물건을 만들어서 자체적으로 유통할 것을 지시한 일에서 8·3 개념
  이 유래했다고 한다. 오늘날에도 8·3 개념은 북한 내부에 다양한 유형
  으로 등장하는 것을 볼 수 있다. 원래 직장에 매일 출근해야 하는 사람
  이 "시간을 받아서" 마음대로 장사하러 돌아다니는 대신 매달 일정한 금
  액의 "8·3 돈을 바친다" 하거나 정식 공정을 거쳐 제대로 생산하지 않고
  남는 자료로 적당하게 사용할 수 있는 수준의 물건을 만들었다는 의미의
  8·3 제품 같은 개념이 그런 사례에 해당한다.

연고도 남겨 두지 않고 가족이나 친척 일행이 함께 북한으로 건너 온 사람들은 세월이 지나도 돈이나 물품을 지원받지 못하다 보니 살림살이 형편이 점점 어려워지는데 같은 째포라고 해도 이들은 따로 구분해서 "거지포"라고 부르는 사람이 많았다.

당연한 일이지만 북한에서 이른바 "거지포" 집단의 움직임에 관심을 기울이는 사람은 많지 않았었다. 반면에 "본산이라고 부르는" 일본산 물품으로 가득 들어찬 상자가 계속 들어온다거나 재일조선인 손님을 만나러 매년 1-2회는 원산으로 여행을 떠나는 집에는 주변 사람들 눈길이 쏠릴 수밖에 없었다고 했다. 이런 집에는 한 번 물건 상자가 들어오거나 멀리 원산까지 갔다 오고 나면 적어도 "한 달 정도 본산 물건을 찾는" 사람들이 어두워지고 난 뒤 조용히 자신의 집으로 찾아왔다고 심층 면담 대상자 몇 사람이 회상하기도 했다.

한 걸음 더 나아가 일본에서 손님이 찾아와서 며칠 머무르는 집이 있으면 해당 거주지의 행정구역 단위가 전체적으로 떨치고 나서서 "문제가 되는 사안을 완전히 해결해" 주었다고 이들은 말했다. 집안 내부 정리와 도배는 기본이고 냉장고와 텔레비전 등 가전제품이 없으면 다른 집에서 가져다 채워 넣는 것도 드물지 않았다.

그런데 이렇게 해도 해결하기 쉽지 않았던 문제가 바로 화장실이었다. 북한당국의 관점에서 주민이 평소 사용하는 화장실을 손님에게 공개할 수 없었지만 겨우 며칠 머물다 떠나갈 사람을 위해서 상하수도 시설을 새로 갖춘다는 것도 엄두를 낼 수 없는 일이었다. 이런 상황에서 궁여지책으로 등장한 대안이 야외에 임시로 설치하는 수세식 화장실이었다.

문제는 이렇게 최선을 다해서 준비를 갖추어 놓아도 일본에서 찾아온 손님의 취향을 맞추는 일은 역부족이었다는 점이었다. 아무리 노력해도 일본에서 온 손님들 눈에는 북한에서 사는 째포들 행색이나 살림살이가 "더럽고 지저분해 보여서 만지거나 사용하기 싫다" 하는 느낌이 드는 것은 피할 수 없는 현실로 다가온다는 뜻이다. 그나마 부모가 자녀를 찾아오는 경우는 큰 문제가 없이 넘어가도 그 이외에는 일본에서 온 손님의 행태로 인해 째포로 북한에서 오래 살아가던 사람이 마음의 상처를 입는 일이 많았다는 것이 심층면담 대상자 몇 사람의 의견이었다.

기껏 주변 사람과 행정기관의 도움을 받아 야외용 수세식 화장실도 갖추어 놓았지만 일본에서 찾아온 여자 손님이 "딱 이틀 있으면서 화장실 가지 않으려고 물 한 모금도 마시지 않으려" 했던 모습이 얼마나 충격적이었는지 호소하는 심층면담 대상자가 있었다. 그 화장실은 손님용이라고 아무도 사용하지 못하게 했고 자신이 볼 때 정말 깨끗했는데 "일본에서 온 여자는 뭐가 그리 대단해서 저러는가" 생각했던 일이 있다고 그 사람은 토로하였다. 그런가 하면 "이렇게 매년 돈과 물건을 가지고 찾아오는데 왜 제대로 감사 인사를 하지 않느냐" 하고 말하는 사촌을 보면서 겉으로는 아무런 말도 하지 못했지만 내심 "내가 일본에 남았으면 지금 너보다 더 많은 물건을 가지고" 왔을 것이라고 외치는 일도 많았다는 사람도 있었다. "그 물건을 받을 때마다 자존심이 얼마나 상하는지 아느냐" 하면서도 다음과 같은 말을 남겨 주었다: "그걸 받지 않으면 식구들이 앞으로 1년 동안 어떻게 살아갈 것인지 막막해서 자존심을 굽히고 받을 수밖에 없었다."

6. 탈북 관련 기억

북한 내부에서 이른바 째포라는 호칭으로 살아가던 북송재일동포 집단에서 본격적으로 탈북의 가능성을 탐색하고 실제로 결행하는 흐름이 나타나기 시작한 시기는 다른 유형의 탈북민과 별로 다르지 않았다. 말하자면 북송재일동포 역시 다른 탈북민과 똑같이 고난의 행군기 막바지였던 1990년대 후반에 들어선 이후 실제로 북한을 떠날 수 있다는 가능성을 탐색하기 시작했다는 뜻이다.

심층면담 대상자 몇몇 사람은 사실 청진항에 북송선이 당도하는 순간부터 꿈을 꾸는 것처럼 언제쯤 이 땅을 떠날 수 있을까, 마지막 숨을 거두기 전에 한 번이라도 일본에 다시 갈 수 있을까 생각하면서도 막상 탈북을 결행한다는 것은 엄두가 나지 않았던 일이라고 했다. 물론 이런 흐름에도 당연히 예외는 있었다. 예전에 북송선을 타고 북한으로 이주했던 젊은 청년 몇 사람이 두만강이나 압록강을 건너서 홍콩까지만 도착하면 일본으로 돌아갈 길을 찾을 수 있을 것이라는 생각으로 무모하게 탈출을 시도했던 이야기도 나왔다. 독자들이 충분히 예상할 수 있는 것처럼 그 젊은이들 시도는 결국 실패로 돌아가고 말았다고 했다.

이런 분위기 속에서 대다수 북송재일동포는 자연히 탈북 가능성을 탐색하거나 그 길을 찾아보지도 못한 채 그저 오랜 세월 참고 견디면서 시간을 보냈다. 그런데 어느 순간부터 정말 떠나야 할 때가 이르렀다는 생각이 들어 그때부터 구체적으로 준비하기 시작했다고 말해 주는 사람이 많았다. 결국 떠나려고 결심한 순간이 언제인지 질문했을 때 이들은 2002년 김정일-고이즈미 회담을 계기로 만경봉호 뱃길이 끊어졌던 시점을 지적하는 경우가 많았다.

고난의 행군 이후 서서히 북한을 떠나야 하지 않을까 하는 생각이 들었어도 막상 탈북을 결행하겠다는 결심을 미루다가 일본에서 돈과 물건이 오는 길이 끊어지고 나니까 "정신이 번쩍 들었다" 하는 답변이 나왔다. 반면에 아주 오래 전에 이미 구체적인 계획을 세워놓고 차근차근 준비하면서도 집안 식구조차 모르게 철저히 가면을 쓴 채 북한당국에 충성심을 표현하며 살다 어느 순간 갑자기 탈북을 결행함으로써 다른 탈북민과 비슷한 경로로 꿈을 이루었다고 토로하는 사람도 있었다.

개인적인 사연은 다양하지만 결국 북한에서 째포로 살아가던 이들도 다른 탈북민처럼 소위 고난의 행군기가 최악의 정점을 지나서 조금씩 안정을 찾아가기 시작하던 1990년대 후반 이후부터 북한을 탈출하는 행렬에 동참했던 것이다. 그렇지만 유독 북송재일동포 탈북 현상에는 한 가지 특징이 드러난다고 할 수 있겠다. 바로 2002년 김정일-고이즈미 회담을 계기로 오랫동안 북한과 일본을 오가며 사람들 사이를 이어주던 만경봉호 뱃길이 끊어졌을 때 북송재일동포의 탈북 현상이 늘어나는 조짐을 보인다는 점에서 차이가 드러난다고 하겠다.

조센징, 째포, 탈북민
탈북 북송재일동포의 세 토막 인생살이

Part Ⅴ

한국과 일본 내
탈북민의 사회적 위치

이 부분에서는 북송재일동포 출신으로 북한에 이주해 간 이후 그곳에서 째포라는 호칭으로 살다가 마침내 탈북을 결정하고 북한을 떠난 이후 한국과 일본에서 이들이 어떻게 살아가고 있는지 정리해 볼 예정이다. 구체적인 통계자료가 없어 단언하기는 어렵지만 어린 시절을 일본에서 보내다가 북송선에 탑승했던 부모 세대는 일본에 거주하는 반면 그 자녀 세대는 한국을 최종 거주지로 선택하는 비율이 높은 것으로 보인다고 하겠다. 앞으로 이 부분은 구체적인 실태분석이 뒤따랐으면 좋겠다.

1. 한국 거주 탈북 북송재일동포

탈북 이후 최종 정착지를 한국으로 결정하고 국내로 입국한 북송재일동포 당사자와 그 후손은 본질적으로 다른 탈북민과 별반 다른 점이 없는 상태로 일상생활을 영위하게 된다. 물론 개인적 역량이나 조건, 성향에 따라 각자 다른 방식으로 살아가는 것은 충분히 있을 수 있는 일이다. 그렇지만 적어도 공식적인 영역에서 재일조선인 출신의 탈북 북송재일동포나 그 후손이 다른 탈북민과 구별이 되는 사안은 없다고 하겠다. 그 이유는 한국 정부가 재일조선인 출신으로 북한에서 살다 탈북한 사람을 다른 탈북민과 구별해서 혜택을 제공하거나 차별을 하는 점이 전혀 없기 때문이다. 이 말은 곧 한국에 입국하면 그 이후부터 북송재일동포 출신의 탈북민 역시 다른 탈북민과 동일하게 [북한이탈주민의 보호 및 정착지원에 관한 법률][1] 기준으로 다양한 혜택의 수혜를 누리면서 살아갈 수 있다는 뜻이다.

다만 한국에 거주하는 탈북민 사회 내부의 움직임을 관찰해 보면 북송재일동포는 나름대로 더 활발하게 교류하고 모이는 하위집단 문화를 형성하는 것으로 보인다. 북한에 살면서 "까치는 까치끼리, 까마귀는 까마귀끼리 사귀고 결혼도 하면서 지냈는데" 탈북한 이후에도 그런 흐름은 변하지 않는 것 같다고 심층면담 대상자 몇 사람은 말해 주었다. 왜 이런 현상이 나타나는지 질문했을 때 이들은 아무래도 북한에서도 "째포는 째포끼리" 굳이 말로 다 설명하지 않아도 서로 통하는 것이 있다 보니 그렇지 않겠느냐 하는 답변이 나왔다. 서로 아픔을 느끼는 부분이 비슷하니 상대방의 상처를 이해하기 쉽다는 것이었다.

---

1 법제처 국가법령정보센터 www.law.go.kr

조센징, 째포, 탈북민
탈북 북송재일동포의 세 토막 인생살이

반면 다른 탈북민 시선으로 볼 때 째포 출신은 옷을 잘 입으니까 "평범한 한국 사람들 패션 감각을 오히려 능가한다" 하는 평가를 받을 것 같다고 스스로 자평하는 의견도 많았다. 북한에 사는 동안 일본에 사는 가족이나 친척이 보내주는 물건 덕분에 다른 사람들이 부러운 시선으로 쳐다보는 "본산제 옷을 입고 다녔으니" 자연스럽게 색상이나 디자인을 보는 안목이 남다르고 가전제품이나 전자기기를 비교적 익숙하게 다룰 수 있어 한국 생활에 적응하는 것이 수월하다 하는 것이 이들의 의견이었다.

2. 일본 거주 탈북 북송재일동포

이들은 탈북 이후 최종 정착지를 일본으로 결정했고 그에 따라 일본으로 들어갔다는 점에서 앞서 서술한 한국 거주 탈북 북송재일동포와 공통점도 있지만 또 차이점도 지닌 집단이라고 하겠다. 사실 이 문제와 관련하여 신뢰성이 높은 통계자료를 작성해 본 일이 없기 때문에 쉽게 단언하기는 어렵지만 한국 거주 탈북 북송재일동포가 주로 2세대 후손이 많은 반면 일본을 최종 정착지로 선택한 사람들은 북송선 탑승을 직접 결정했거나 내용을 잘 알고 있었던 1세대와 그래도 어린 시절의 기억을 어느 정도 지닌 1.5세대 당사자가 주류를 이룬다는 지점에서 분명한 차이를 드러낸다는 점은 이미 밝힌 바 있다.

소수의 심층면담 대상자를 기준으로 확인한 결과에 불과하지만 일본을 최종 정착지로 선택한 사람들은 자신의 어린 시절이나 젊은 날을 보냈던 일본으로 가서 그 시절의 기억을 되짚어 보려 했다고 말하는 경우가 많았다. 자신이 "일본에서 떠났는데 떠나간 곳으로 돌아오는 것이 당연하지 않겠느냐" 하면서 반문하는 사람도 있었다. 탈북한 이후 중국에 머무르는 동안 일본에 도착하기만 하면 곧바로 자신이 예전에 살던 동네를 찾아가서 가깝게 지내던 사람을 찾아보고 살던 집과 다니던 학교, 운영하던 상점과 사업체가 있던 자리를 직접 확인하고 싶었다는 사람도 나왔다.

이들의 답변 내용으로 미루어 볼 때 탈북하고 난 뒤 일본을 최종 정착지로 결정한 사람들은 예전 생활에 미련이 남아 있고 그만큼 상대적으로 기대감을 크게 지녔다는 특징을 보여주는 것 같다. 심층면담 대상자 한 사람은 자신이 북한에서 성장기를 보내는 동안 어머니가 예쁘고 좋은 물건이 생길 때마다 늘 "일본에서 보던 것과 똑같다, 일본에서 먹었던 음식 맛이다, 일본에는 이런 상품이 차고 넘쳤다" 하는 말을 되뇌었던 기억이 되살아난다고 토로하였다. 또 한 사람은 북한에 살 때 "주변의 다른 사람과 달리 조용하고 단아하던 할머니 모습이" 일본에 살면서 배운 문화일 것이라고 생각했기 때문에 자신도 직접 가서 확인해 보고 싶은 욕망이 강렬했었다는 말을 남기기도 했다.

문제는 이들이 희망과 기대감으로 부풀어서 일본을 최종 정착지로 선택한다고 하더라도 한 가지 중요한 문제는 해결할 수 없다는 점이 남는다는 것이었다. 막상 일본 정부는 탈북한 북송 재일동포를 별로 환영하지 않으며 이들이 어려운 관문을 거쳐 들어온다고 해도 쉽게 국적을 부여할 의향이 전혀 없다는 점이 바로 문제의 핵심이었다.

물론 탈북 북송재일동포가 처음부터 이와 같은 일본 정부의 태도를 정확하게 파악하는 것은 현실적으로 불가능한 일이다. 기본적으로 일본 정부에서 탈북 북송재일동포 관련 지침과 정책 방향을 공개하지도 않고 널리 알려주지도 않으려 하기 때문에 이들이 개인 차원에서 정확한 내용을 파악하는 것은 능력을 벗어나는 일이라고 생각한다. 한 걸음 더 나아가서 일본인을 중심으로 일본 내부에서 이들을 도와주는 활동을 전개해 온 시민단체 역시 탈북 북송재일동포의 국적 문제를 정확하게 파악하고 있는 것 같지는 않았다. 심층면담 대상자 중에는 일본에서 출생한 기록을 다 확인할 수 있었지만 탈북한 이후 중국에 머물면서 일본으로 들어갈 길을 찾다 중국 여권을 위조하여 입국했다 하는 이유로 일본 정부가 국적을 부여하지 않았다는 경우도 있었다.

그런데 막상 일본 정부가 이들의 입국을 환영하지 않고 국적을 부여하지 않는 문제는 "떠났던 곳으로 돌아오려고" 일본을 최종 정착지로 선택했던 탈북 북송재일동포 집단의 일상생활에서 다양한 문제를 일으키는 원인으로 작용하는 것이 오늘의 현실이다. 국적이 없으니 거주지 마련도 쉽지 않았고 직장을 구하기도 어렵고 안정적인 생활기반을 만드는 일도 사실상 불가능한 처지가 되다 보니 일상생활은 점차 악순환에 빠지게 된다고 심층면담 대상자 몇 사람은 하소연했다.

이런 문제가 있기 때문인지 실제로 일본에 거주하는 탈북 북송재일동포 중에서 한국 국적을 보유한 비율이 아주 높은 것으로 심층면담 과정에서 나타났다. 처음에는 일본 국적을 취득하려고 노력했는데 막상 몇 년이 지나도 별다른 성과가 없다는 점을 깨닫고 부모는 일본에 남고 자녀는 한국으로 거주지를 옮기는 사례도 나타난다. 한국으로 이주하면 탈북민 정책의 수혜가 주어지기도 하지만 무엇보다 국적 문제에서 불안감을 떨쳐낼 수 있다는 것이 큰 장점이라고 이들은 말했다.

Part VI

조센징-째포-탈북민의
국적과 정체성

이 책은 일본에서 조센징이라는 호칭으로 살다 북한으로 이주한 뒤 째포라는 말을 들으며 세월을 보냈고 다시 한국과 일본에서 탈북민이라는 명칭 아래 "뿌리가 뽑힌 채 떠도는 부평초 같은 세 토막 인생살이" 경로를 거쳐 온 탈북 북송재일동포 경험담을 토대로 관련 자료를 활용하여 재일조선인 북송사업 과정과 그 의미를 추론한 결과물로 볼 수 있겠다. 심층면담 대상자가 들려주는 내용을 정리하고 관련 자료를 찾아보면서 이 책의 원고를 작성하는 동안 새삼 느낀 사실 하나는 1959년 12월 이후 1984년 7월까지 재일조선인 북송사업의 결과, 북한으로 이주했던 10만 명 가까운 당사자는 물론 그 주변 사람들 역시 북송선 탑승에 따른 후유증에서 지금도 자유롭지 않다는 점이었다.

북송선 탑승을 결정한 인물은 주변의 원망을 한 몸에 받으며 스스로 내면 깊숙이 후회하는 행적을 드러내는가 하면 그 사람을 따라간 가족과 친척은 북한에서 사는 내내 상처를 입었다고 하소연하는 것으로 나타난다. 손자를 데리고 간 할아버지가 세상을 떠나기 전 마지막 유언으로 "널 두고 왔으면 얼마나 좋았겠느냐" 하셨다거나 하루라도 빨리 북송선 탑승을 해야 한다고 주장했던 고모부를 따라 북한으로 이주한 부모를 원망하며 사느라 사촌 사이에 다툼이 계속 이어졌다 하는 사연은 심층면담 과정에서 끝도 없이 나왔다. 그런가 하면 일본에 남아 이들을 물질적으로 후원했던 사람들은 끝도 없이 이어지는 경제적인 부담을 감당하면서 심신이 지치는 양상을 드러내기도 했다. 무엇보다 슬픈 사실은 이런 후유증을 완전히 해소하는 날이 언제 찾아올 것인지 기약이 없는 점이라 하겠다.

그런 의미에서 재일조선인 북송사업이 오늘날 과연 어떤 영향을 남기고 있는지 치밀하게 탐색해 보는 작업은 이들의 삶에 있어 매우 중요한 의미를 지닌다고 생각한다. 무엇보다도 학문의 영역에서 북송 당사자의 고통을 제대로 듣고 기록함으로써 동정심 차원을 넘어 정당한 수준의 공감을 표현할 수 있을 때 비로소 "인간에 대한 예의를 지켜 달라는" 이들의 목소리를 제대로 반영한 결과물을 생산해 낼 수 있을 것이라는 생각이 들기도 했다.

이제 지금까지 서술했던 내용을 토대로 결론을 제시해야 하는 부분에 이르렀다. 그런데 이 정도 분량의 원고로 탈북 북송재일동포 문제를 완결하는 결론을 내린다는 것은 무리한 일이 아닐 수 없다는 생각이 든다. 앞으로 이 문제와 관련하여 한국과 일본에서 더 많은 연구 결과가 쏟아져 나왔으면 좋겠다. 다만 이 부분에서는 전체적 결론을 대신하여 탈북 북송재일동포 관점에서 볼 때 고단하고 힘겨운 인생 역정을 지나면서 "국적을 쥐는 문제가 어떤 의미를 지니는지" 그 의미를 정리해 보고자 한다.

돌이켜보니 탈북 북송재일동포 집단은 일본을 떠나 북한으로 이주했다가 탈북의 길을 선택한 뒤 한국이나 일본에서 자리를 잡고 정착할 때까지 그 길고 긴 세월이 흐르는 동안 내내 "국적을 쥐는" 문제로 늘 마음을 졸이며 조마조마한 상태로 살았다는 사실에 다시금 주목하게 된다. 이미 시간이 많이 흘렀지만 오늘날 이 시점에 다시 탈북 북송재일동포 관점에 서서 이들의 인생 경로를 되짚어 보려 할 때 국적 문제를 거론하는 것이 중요한 이유는 바로 이 사안이 이들의 일생에 걸쳐 정체성 형성에 직접적인 영향을 미치는 요인이라고 생각하기 때문이다.

이들의 관점에서 볼 때 이 책의 주인공인 탈북 북송재일동포의 국적 문제는 지금도 완전하게 해결이 된 상태라고 말하기 어려운 사안이라는 측면에 주목할 필요가 있다. 1959년 당시 일본 니가타 항구를 떠나 북한의 청진항을 향해 북송선이 출항하던 시점에도 그랬던 것처럼 그 이후에도 이들이 "국적을 쥐는" 문제는 북송 당사자와 그 후손 및 주변 인물의 정체성에 영향을 행사하고 있었다. 바로 이 사실을 인지하고 관련 자료를 계속 축적하면서 단순한 관찰자 관점을 벗어나 이들의 관점에 공감하며 해당 자료의 내용을 치밀하게 분석하는 일이 역사적인 차원에서 중요한 의미를 지닌다는 점을 이해할 필요가 있다고 하겠다.

1. 조센징과 일본 국적

돌이켜 보면 재일조선인이 국적 문제로 인해 자신이 미처 예상하지도 못했던 곤란함을 겪기 시작한 것은 이미 제2차 세계대전 종전 직후의 일이었다. 연합군에 맞섰다가 패전국으로 전락한 일본을 통치하려고 점령군 자격으로 진주해 들어 온 SCAP에서 식민지 출신이었던 재일조선인의 국적과 관련하여 애매한 지침을 적용하였던 것이 문제의 발단이었다.

앞서 지적한 바와 같이 당시 제2차 세계대전 이후 승리자인 연합국과 패전을 한 일본 정부가 강화조약을 체결하기 전이었다. 따라서 국제법 규정을 기준으로 전범국가 일본의 식민지 출신인 재일조선인도 일본 국적을 보유한 것으로 대우하는 것이 당연한 상황이었다. 그렇지만 SCAP는 재일조선인의 존재를 거론하면서 이들은 "해방민족이지만 필요하면 적국의 국민" 취급을 해도 된다는 규정을 적용함으로써 결과적으로 이들을 매우 불리한 상황에 몰아넣었던 것이다. 일본 정부는 SCAP 지침을 근거로 재빠르게 재일조선인을 생활보호 대상에서 제외하였다. 그 뒤 1951년 들어서 샌프란시스코 강화조약을 체결하자 일본 정부는 달리 대안을 준비해 놓지도 않은 상태에서 재일조선인의 의사를 확인하지도 않고 법무성 민사국장의 통지문 한 장으로 이들의 국적 박탈을 일방적으로 통보하였다.

물론 그 당시 재일조선인의 관점에서 일본 국적을 보유하는 것은 그렇게 큰 관심사가 아니었고 별다른 반발도 없었기 때문에 훗날에 새삼스럽게 이 사안과 관련하여 문제를 제기하는 것은 무리한 일이라고 주장하는 의견도 많다. 실제로 그 무렵 재일조선인 집단에서는 국적 문제보다도 "해방을 맞은 조국으로 돌아가서" 고향에 정착하려는 사람이 많았다. 또 한편으로는 그동안 모은 재산을 지키면서 일본에서 안정적으로 살아가려고 했던 사람도 드물지 않았던 상황이었다. 이런 상황을 고려하면 어느 날 갑자기 일본 국적을 박탈하는 일이 벌어졌을 때 재일조선인 집단이 크게 반발하지 않았던 이유가 무엇인지 어느 정도 납득할 수 있는 일이라 하겠다. 그러나 재일조선인 집단의 반발이 강하지 않았다고 해서 식민지 출신의 재일조선인의 사정을 전혀 고려하지 않았던 SCAP와 그 상황을 악용했던 일본 정부의 처사를 용납해야 하는 것은 절대로 아니다.

한 걸음 더 나아가 1951년 샌프란시스코 강화조약 체결 이후 식민지 시절 자신들 필요에 따라서 강제로 차출해 온 재일조선인의 국적을 어느 날 갑자기 박탈하면서도 별다른 대책도 마련하지 않았던 일본 정부의 처사는 아무리 너그럽게 평가한다 해도 인도주의 정신을 존중하는 처사로 볼 수는 없다 하겠다. 결국 오늘날 재일조선인 북송사업의 의미를 정리해 보면 이들을 상대로 국적 보유를 허용하려는 의도는 전혀 없고 당사자의 의사를 확인할 기회를 제공하려 하지도 않았으며 기본적인 사회복지체계 속에서 생활 유지에 필요한 최소 범위의 혜택을 제공할 시도 역시 한 번도 하지 않았던 일본 정부가 식민지 출신의 인원을 몰아낼 목적으로 고안해 낸 반인륜적이고 비인도적인 대책의 결과물이었다고 할 수 있겠다.

2. 째포와 북한 국적

재일조선인이 조센징으로 살던 시기에 일본 정부가 개인의 의사를 확인하지 않은 상태에서 일방적으로 국적을 박탈한 일은 그 이후에 이들이 일상생활에서 아주 오랫동안 고통을 겪는 결과를 초래했다. 반면 이들이 북송선을 타고 북한으로 이주했을 때 일본에 살던 시절과 정반대의 현상이 벌어져 예전과 다른 형태의 고통을 겪는다. 북한당국은 북송선에 탑승한 재일조선인을 포함하여 이들과 함께 이주한 일본인 배우자와 소수의 입양 자녀를 상대로 굳이 원하지도 않은 북한 국적을 부여한 뒤 개인의 뜻에 따라 마음대로 포기하지도 못하게 만들어버렸다. 충분히 예상할 수 있는 일이지만 북한당국은 국적을 부여하는 과정에서도 개인의 의사를 확인하는 절차를 거치려 하는 시도는 전혀 하지 않았다.

이런 측면에서 볼 때 북송 당사자를 대상으로 하는 일본 정부와 북한당국의 국적 정책은 철저하게 다른 듯 보이지만 사실상 동전의 양면처럼 닮아 있다고 하겠다. 일본 정부는 재일조선인을 대상으로 개인의 의사를 확인해 본 일이 없는 상태에서 어느 날 갑자기 국적 박탈을 통보했던 반면 북한당국은 북송선에 탑승하는 사람은 무조건 국적을 받을 의사를 표명한 것으로 간주하면서 이들이 자신의 뜻에 따라 국적을 선택할 기회를 박탈해 버렸다. 만약 북송선에 탑승했던 인원을 상대로 북한당국이 개인의 뜻대로 국적을 선택할 수 있도록 자유를 보장해 주었더라면 과연 몇 사람이나 북한주민으로 남았을 것인가 질문했을 때 심층면담 대상자 몇 분이 "물어볼 필요도 없는" 일이라고 명확하게 정리해 주었다.

문제는 북한당국이 이렇게 일방적으로 북한 국적을 부여하고 난 뒤에 북송 당사자가 "그 굴레에서 벗어날 수 없고 평생 째포로 살아야" 한다는 점이었다. 북송 당사자는 재일조선인은 물론이고 일본인 출신이라고 하더라도 일단 북한당국이 국적을 부여하고 나면 필연적으로 이른바 "조선민주주의인민공화국" 공민으로 충성을 다해야 하고 일상적으로 째포라는 차별적 호칭에서 벗어날 수 없는 숙명에 빠져든다. 아무리 일본인 출신이라고 하더라도 탈북하지 않는 한 "공화국 공민의 지위를 포기하는" 권리는 누구에게도 주어지지 않기 때문이다.

그러나 탈북을 결심하고 결행에 옮기는 일도 자신과 가족의 죽음을 각오해야 가능하다는 점을 생각하면 북한당국이 "억지로 쥐어 준 국적을 당장 포기하고 싶어도" 현실적으로 그 방법은 찾을 수 없다는 것이 이들의 안타까운 상황이었다. 북송 당사자 집단을 대상으로 개인의 선택권은 완전히 무시한 채 국적을 강제로 부여한 뒤 포기하는 길도 막아버린 북한당국의 정책은 이들이 그 뒤 오랫동안 "힘들고 어렵고 고단한 삶의 굴레 속에 갇혀 살며 벗어날 길을 찾을 엄두를 내지 못하도록" 정신세계를 지배해 왔다는 점에서 참으로 잔인한 정책이라고 생각한다.

3. 탈북민의 한국 국적과 일본 국적

2019년 한 해 동안 통일부 북한인권기록센터 용역 진행 기간에도 그랬지만 그 이후 2020년 초반부에 다시 심층면담 대상자 몇 분을 만나면서 탈북 북송재일동포의 고민이 최종 정착지로 한국과 일본 중에 어느 국가를 선택했는가 하는 점에 따라 결이 다른 양상을 드러낸다는 사실을 새삼 깨달았다. 탈북 이후 최종 정착지로 한국을 선택하여 국내로 입국한 탈북 북송재일동포 중에서 국적 문제로 고민하는 사람은 발견할 수 없었다. 반면 탈북한 이후에 일본을 최종 정착지로 선택한 사람을 만났을 때

"아직도 국적 문제를 해결하지 못했다"하며 호소하는 사연이 종종 터져 나왔다.

이런 차이점은 당연히 한국과 일본의 정책이 달라서 나타나는 결과일 것이다. 한국 정부는 북한 국적을 가진 사람이 탈북한 뒤 국내로 입국하면 [북한이탈주민의 보호 및 정착지원에 관한 법률]에 근거하여 국적을 부여하고 다양한 혜택을 제공한다. 따라서 한국에 정착한 탈북 북송재일동포의 경우에는 국적보다 오히려 정체성이나 정착 문제로 고민하는 사례가 많은 것으로 나타났다. 반면 일본 정부는 탈북 북송재일동포가 자국으로 입국하는 것도 환영하지 않지만 될 수만 있으면 국적을 부여하지 않으려고 "요리조리 피해 나가기 바쁘다"하는 것이 심층면담 대상자 증언으로 많았다. 그 탓인지 실제로 일본에 거주하는 심층면담 대상자를 상대로 국적이 어딘지 물어보면 한국이라고 대답하는 사람이 꽤 많았다. 한국 국적으로 일본에 거주권을 가진 채 살아간다는 것이 이들의 답변이었다.

사실 이 책의 주인공인 탈북 북송재일동포 관점에서 볼 때 국적은 이들이 앞으로 평안하고 행복한 삶을 영위하려 할 때 필요조건에 해당할 뿐이며 필요충분조건이라고 생각하기는 어렵다. 그런 의미에서 한국 정부의 정책이 탈북 북송재일동포의 미래에 최적화 상태의 대안을 마련해 준 것으로 평가할 수 없는 일이다. 실제로 한국에서 만난 심층면담 대상자 몇몇 사람은 생활 속에서 어떤 어려움을 겪는지 토로하는 사연을 다양하게 들려주기도 했다.

그렇지만 일본 정부가 탈북 북송재일동포와 그 직계 후손의 입국을 막거나 국적을 부여하지 않는 정책을 고수하는 것은 과연 정당한 일인지 검토해 볼 필요는 있다고 생각한다. 탈북한 뒤 굳이 일본으로 가겠다고 하는 사람은 그 나름의 이유를 충분히 지니고 있기 때문이다. 이들은 원래 일본에 살았지만 일본 정부와 북한당국의 협의로 추진한 재일조선인 북송정책에 따라 북한으로 이주했던 사람과 그 자녀 및 손자녀로 천신만고 고생 끝에 탈북한 이후 연고지에 가서 살겠다는 의사를 밝히고 있는 경우가 절대다수로 나타난다. 그런 사정을 지닌 사람을 상대로 일본 정부가 입국을 불허하고 국적 부여를 거부하는 것은 지나치게 옹졸한 대처 방식이라는 평가를 피해 가기 어렵다고 하겠다.

4. 세 토막 인생 속 정체성, "나는 누구인가?"

탈북 북송재일동포를 만나 심층면담을 진행하면서 이들의 이야기 속에 등장하는 고민거리를 정리해 본 결과, 결국 "뿌리 없는 부평초처럼 떠도는 세 토막 인생살이 속에서 나는 누구인가 하는 정체성" 문제로 귀결이 된다는 결론에 이르렀다. 일본에 살면서 주변의 누군가 조센징이라는 용어를 사용할 때마다 "피가 거꾸로 솟구치는 것 같아서" 북한으로 이주해 갔는데 그 곳에서는 째포라는 호칭에 시달려 세월을 속절없이 보냈다는 것이 이들의 하소연이었다. 또한 힘들게 탈북해 보니 이번에는 한국이나 일본에서 탈북민이라는 굴레를 벗어나기 힘든 상태로 살아갈 수밖에 없다는 것이었다.

결국 이들의 질문은 "나는 누구인가" 하는 점으로 이어졌다. 도대체 "나는 누구인데" 어느 곳에서도 환영하지 않는 존재인가 하는 점이 이들의 궁극적인 의문이었다.

조센징
째포
탈북민

이들은 누구인가? 조센징과 째포는 어떤 관계인가? 또 째포와 탈북민 집단은 어떤 관계로 엮여 있는가? 도대체 조센징과 째포, 탈북민이라는 호칭 사이에는 어떤 관계가 존재하는가? 이들이 평안하고 행복한 삶을 영위할 수 있도록 한국과 일본, 두 나라 정부 차원을 넘어서서 지식인 집단과 언론매체 종사자가 마땅히 감당해야 할 사회적 책무는 무엇인가?

참고 문헌

1. 국문 자료

김광렬, 『재일조선인귀환』한국민족문화대백과사전, 한국학중앙연구원, 2013.

김동조, 『회상 30년 한일회담』, 중앙일보사, 1986.

김미영, 『재일한국인 귀국사업에 대한 이승만 정부의 대일(對日) 외교 정책 분석』, 일본학연구 63, 2021.

남근우, 『북한 귀국사업의 재조명: '원조경제'에서 '인질(볼모)경제'로의 전환』, 한국정치학회보 44(4), 2010.

박인원, 고향에 대한 탐색: 안나 킴의 대귀향에 그려진 재일조선인 귀국사업. 카프카연구, 41, 2019.

박종철, 『귀국자를 통해 본 북한사회』, JPI 정책포럼, 2012(16), 2012.

야마다 분메이(山田文明), 『조선학교의 숨겨진 목적, 알려지지 않은 실태』東京: 북조선귀국자의 생명과 인권을 지키는 회, 2012.

오가타 요시히로, 『재일조선인에 대한 한국 정부의 인식. 디아스포라연구 2(1), 2008.

이 성, 『재일조선인과 참정권』, 황해문화 57, 2007.

이승희, 『조선인의 일본 '밀항'에 대한 일제 경찰의 대응 양상』, 다문화콘텐츠연구 13, 2012.

이연식, 『해방 직후 남한 귀환자의 해외 재이주 현상에 관한 연구: 만주 '재이민'과 일본 '재밀항' 실태의 원인과 전개과정을 중심으로 1946~1947』, 한일민족문제연구 34, 2018.

이영미·김종회, 『재일조선인 귀국(歸國)문제를 기억하는 문화적 방식: 북한의 경우를 중심으로』, 현대소설연구 64, 2016.

임영언·명동호, 『재일동포 모국귀환 고찰: 해방 전후 모국귀환과 북송귀환을 중심으로』, 인문사회과학연구 22(1), 2021.

정용욱, 『일본인의 '전후'와 재일조선인관: 미군 점령당국에 보낸 편지들에 나타난 일본 사회의 여론』, 일본비평 3, 2010.

조경희, 『불완전한 영토: '밀항'하는 일상-해방 이후 70년대까지 제주인들의 일본 밀항』, 사회와 역사, 106, 2015.

조관자, 『재일조선인운동과 지식의 정치성 1945-1960』, 일본사상, 22, 2012.

조지현, 『이카이노: 일본 속 작은 제주』, 도서출판 각, 2019.

진희관, 『재일총련의 신용조합 해체와 향후 과제』, 통일경제, 현대경제 연구원, 2002.

_____, 『재일동포의 '북송' 문제』, 역사비평, 61, 2002.

_____, 『재일조선인 북송사업』, 한국민족문화대백과사전, 한국학중앙 연구원, 2012.

최영호, 『조선인 노무자 미수금 문제와 조련의 예탁활동』, 동북아역사 논총 45, 2014.

테싸 모리스-스즈키[1] 지음, 황정아 옮김, 『북송사업과 탈냉전기 인권 정치』, 창작과 비평 33(2), 2005.

테사 모리스-스즈키, 『북한행 엑서더스: 그들은 왜 '북송선'을 타야만 했는가?』, 책과함께, 2008.

2. 북한자료

「로동신문」 1953년 5월 19일자, "본국 송환 요구하여 재일 중국인들 항의 대회"

「로동신문」 1953년 6월 12일자, "재일 화교 송환 요구하며 일본 공산 당 성명"

「로동신문」 1955년 10월 15일자, "재조선 일본인 송환 문제와 관련하 여 일조협회에서 성명 발표"

「로동신문」 1958년 1월 9일자, "일본에 억류된 조선 공민들을 남조선 에 강제 송환하려는 기도는 저지되여야 한다"

---

1 테싸 모리스-스즈키는 테사 모리스-스즈키와 동일인물이 분명하지만 각각의 자료에 표기한 방식을 그대로 따라서 이 책에도 적어 놓았다.

「로동신문」 1958년 1월 9일자, "오무라 수용소에 억류된 조선 공민들 남조선으로의 강제 송환을 반대 궐기"

「로동신문」 1958년 1월 11일자, "일본 수용소들에 억류된 조선 공민들이 남조선으로 강제 송환되여서는 안된다"

「로동신문」 1958년 1월 19일자, "일본 공산당 기관지 일본 수용소들에 억류된 조선 공민들을 남조선으로 강제 송환하는 것을 규탄"

「로동신문」 1958년 2월 15일자, "억류된 공민들의 남조선 강제송환을 반대하는 일본 인민들의 투쟁 확대"

「로동신문」 1958년 3월 28일자, "남조선에로의 강제 송환을 결사 반대한다"

「로동신문」 1959년 1월 14일자, "일본으로부터 남조선에 강제 송환된 조선 공민들이 집단 도주"

「로동신문」 1967년 12월 22일자, "155차 귀국선으로 니이가다에 도착한 조선민주주의인민공화국 적십자회 대표단 단장이 재일본 조선공민들의 귀국사업을 협조해 주고 있는 일본의 각계 인사들을 위해 초대연을 차렸다: 재일본 조선공민들의 조선민주주의인민공화국에로의 귀국 사업은 귀국 희망자가 있는 한 계속되여야 한다."

「로동신문」 1967년 12월 26일자, "일본에서 조국에 돌아오는 동포들을 태운 제155차 귀국선이 청진항에 도착: 그들을 위한 청진시 환영 군중대회 진행-일본 반동정부는 재일 조선공민들의 귀국사업을 파괴하려는 음흉한 책동을 당장 걷어치우라"

「로동신문」 1968년 1월 27일자, "일본 반동당국은 귀국사업을 끝내 파괴한다면 력사와 인민의 준엄한 심판을 면치 못할 것이다. 조일 량국 인민들과 세계의 공정한 여론은 일본 사또 반동정부의 범죄적 책동을 그대로 두지 않을 것이다-조일적십자회담 우리 측 단장이 회담을 파탄시킨 일본 측을 규탄하여 성명 발표"

「로동신문」 1971년 5월 12일자, "제156차로 영광스러운 조국, 조선민주주의인민공화국의 품으로 돌아오는 재일동포들을 태워 올 귀국 재개 제1차선이 청진항을 떠났다. 경애하는 수령님의 육친적인 배려에 의하여 재일조선공민들의 귀국의 배길이 다시 열렸다."

「로동신문」1971년 5월 17일자, "조국동포들의 열렬한 환영 속에 영광
　　　　스러운 조국, 조선민주주의인민공화국에로 돌아오는 재일동포
　　　　들을 태운 귀국재개 제1차선이 청진항에 와닿았다. 조국은 어
　　　　버이수령님께서 다시 열어주신 배길을 따라 귀국한 동포들을
　　　　뜨겁게 포옹한다."
「로동신문」1972년 3월 10일자 2면, "위대한 수령 김일성원수님께 드
　　　　리는 재일동포들의 충성의 편지를 전달하기 위한 중앙대회에
　　　　서 한 총련중앙상임위원회 한덕수의장의 보고(요지)"
「로동신문」1972년 4월 3일자 1면, "위대한 수령 김일성원수님께 드리
　　　　는 재일동포들의 충성의 편지를 전달하기 위한 자전거행진단
　　　　이 평양을 향하여 청진을 출발"
「로동신문」1972년 4월 10일자 4면, "위대한 수령 김일성원수님께 드
　　　　리는 재일동포들의 충성의 편지를 전달하기 위한 자전거행진
　　　　단이 평양에 도착"
「로동신문」1979년 3월 9일자 1면, "위대한 수령 김일성원수님께 드리
　　　　는 재일동포들의 충성의 편지를 전달하기 위한 중앙대회가 도
　　　　꾜에서 성대히 진행되었다."

3. 인터넷 사이트

법제처 국가법령정보센터 www.law.go.kr
통일부 북한정보포털 nkinfo.unikorea.go.kr
위키피디아 ko.wikipedia.org/wiki/조센징

4. 영어 자료

Clifford Geertz, *The Interpretation Of Culture*, Basic Books:
        1985, 3rd edition
C. Wright Mills, *Sociological Imagination*, Oxford University
        Press: 2000 40th edition

5. 일본어 자료

金英達, 高柳俊男 編(1995)『北朝鮮歸國事業關係資料集』東京; 新幹社
"日本 一部新聞の「北」報道: 私の 見たのと 大違い," 「統一日報」1985년
        6월 1일자